LE
BONHEUR

VAUT MIEUX ÊTRE RICHE ET EN SANTÉ QUE PAUVRE ET MALADE !

L'argent 1968 [1]

... SI TU T'METS À BRAILLER À CAUSE DES P'TITES INJUSTICES QUAND T'ES P'TIT, IMAGINE-TOÉ QUAND TU VAS ÊTRE GRAND ET QUE TU VAS TE RENDRE COMPTE DES GRANDES INJUSTICES QU'Y A DANS LE MONDE ! LÀ TU VAS PASSER TES GRANDES JOURNÉES À BRAILLER ! TU POURRAS PUS JAMAIS T'ARRÊTER.

C'est pas juste 1972 [2]

... LA PITAL A TÉLÉPHÔNÉ...

C'EST LE BOSS QUI A RÉPOND, Y VIENT M'VOIR, Y DIT :

> *« Ta femme est tombée malade d'urgence, y l'ont rentrée... »*

Y DIT :

> *« Voyons-donc, énarve-toé pas avec ça ! Fais comme si de rien n'était continue ton ouvrage. Si y a quecque chose, j't'le dirai. »*

C'EST PAS N'IMPORTE QUEL BOSS QUI AURAIT FAITE ÇA !

Les unions qu'ossa donne ? 1968 [3]

EILLE,

j'ai connu un gars, moé, y courait tout l'temps c'gars-là. Court d'un bord, court su l'autre, y avait pas moyen de l'arrêter. Y courait après sa perte, mais y l'savait pas. Ça fait que quand y l'a pognée, y était trop tard.

Le monde sont malades 1968 [4]

MAUDITE ARGENT !

On dirait que l'monde pense inque à ça, l'argent. L'argent, l'argent, l'argent ! On dirait que l'monde a la tête pleine d'argent.

ENTÉCAS, Y EN ONT PLUSSE DANS TÊTE QUE DINS POCHES !

L'argent 1968 [5]

(L'ARGENT)

On en a jamais eu.

Ça nous a-tu empêchés d'faire quecque chose ?
Ça nous a jamais empêchés de rien faire.

On a tout le temps rien faite…

L'argent 1968 [6]

« *C'est pas parce que le monde ont un tapis dans l'salon que leur frigidaire est plein tout l'temps. Tu comprendras jamais que dans vie, on peut pas toute avoir ? Va-tu falloir que j'te l'répète mille fois ? Tu comprendras jamais ?* »

ÇARTAIN, JE L'COMPRENAIS QU'ON POUVAIT PAS TOUTE AVOIR. CHEZ NOUS, ON N'AVAIT MÊME PAS D'FRIGIDAIRE !

L'argent 1968 [7]

Dans vie, on peut pas toute avoir-e ! Pas besoin d'être ben fins fins fins... N'importe qui peut comprendre ça.

Avoir toute ? Ça s'peut pas !

Oubliez ça, pensez-y pus. Avoir toute, ça s'peut pas pantoute. Du monde qui ont toute, y en a pas !

Y EN A PAS ! ... Y en a, mais pas beaucoup.
Y en a jusse deux trois...

L'argent 1968 [8]

ÇA CHIÂLE TROP. ÇA CHIÂLE TOUT L'TEMPS !

Ça chiâle tellement pour toute c'qu'y ont pas qu'y ont même pas l'temps de s'apercevoir de toute qu'osse qu'y ont.

L'argent 1968 [9]

... Parce que l'monde qui ont d'l'argent sont peureux, sont narveux, y ont peur de s'faire voler leur argent. Y ont peur qu'leurs chums sortent avec eux autres pour leur argent ! Le monde qui ont de l'argent sont pognés. Dans not' boutte le monde qui avait de l'argent, y étaient pognés. Y étaient toutes pognés pour être docteurs, y étaient pognés pour être avocats, y étaient pognés pour être notaires.

C'TU DES VIES, ÇA ?

C'monde-là, ça fait du bureau l'soir, ça écoute les troubles de n'importe qui, y ont un soir off y peuvent rester chez eux tranquilles : non, faut qu'y emmènent des clients manger dehors, pis là, faut qu'y s'dépêchent d'avoir un autre soir off pour les ramener manger d'dans. Mange dehors pis mange en d'dans, pis mange dehors pis mange en d'dans… Là ça va s'baigner dans mer, ça parle à du monde que ça connaît pas… Y en a même qui vont jusqu'à parler des langues étrangères.

C'EST-TU DES VIES, ÇA ?

L'argent 1968 [10]

LE SOLEIL, ÇA COÛTE RIEN. LE SOLEIL, Y CHAUFFE LA COUENNE DE N'IMPORTE QUI QU'Y EST EN D'SOUR.

Le bonheur 1968 [11]

(LE SOLEIL)

Le soleil, y est comme la police : y'rgarde pas avant d'frapper. Y a ben plus de monde qui sont ben pauvres qui restent dans des places y'où c'qu'y fait tout l'temps soleil, qu'y a du monde riche qui sont pognés pour rester icitte.

Le bonheur 1968 [12]

Et le plus beau d'l'affaire, c'est que c'est le plus beau qu'est gratisse. (…) C'est facile, on cherche quecque chose en ville, beau et gratisse. Euh… bon, y a jusse trois inconnues, c'est pas compliqué ça ! Attends menute, en ville, beau et gratisse… euh… en ville, beau et gratisse…

Je l'ai : **LA MESSE !**

Le bonheur 1968 [13]

Qu'est-ce qu'un gars peut faire en sortant d'la messe ?

EUH... PREMIÈREMENT, Y S'RÉVEILLE !

Non, mais y a du monde qui dépense des fortunes pour des pelules pour dormir, c'est chimique pis ça coûte d'l'argent; la messe, c'est gratisse pis c'est naturel.

Non, non, soyez honnêtes !

Y a-tu quecque chose de mieux qu'un bon sermon pour se taper un p'tit somme ?

TU RENTRES DANS L'ÉGLISE, TU CHECKES UNE GROSSE, TU T'ASSIS À CÔTÉ, TU T'ACCOTES...

Le bonheur 1968 [14]

Et le bonheur, t'es mieux de l'avoir de temps en temps parce qu'y a un vieux dicton qui l'a dit – me rappelle pas à qui y l'a dit mais y l'a dit :

« *Sans le bonheur, t'es pas heureux.* »

C'est simple à comprendre, ça han ?

Le bonheur 1968 [15]

PENSEZ-Y DEUX MENUTES. LA CAMPAGNE !

Y a-tu quecque chose de plus beau qu'la campagne ? Oui ! Y en a en masse. Mais c'est beau pareil !

C'est beau… quand tu sais que tu r'viens le soir, c'est beau.

Le bonheur 1968 [16]

Les jeunes y s'imaginent qu'le bonheur c'est des niaiseries : on s'pogne, on rit, on sniffe.

« Ça c'est le bonheur ! »

Faut être ding-dong pour penser d'même, laissez-moé vous dire ça.

Le bonheur 1968 [17]

« Ha ha ha ha ha ha ha ha ! »

Rire d'Yvon Deschamps 1977 [18]

Entendu plus de 500 fois au Théâtre Maisonneuve... Un record.

Le bonheur va dans les maisons où c'que la maison est propre. Où c'qu'y a du manger en masse dans l'frigidaire. Faut pas qu'y aye trop d'enfants. Si y a des enfants, faut pas qu'y soyent tannants. Parce que le bonheur haït le train.

Le bonheur 1968 [19]

Si tu fais une crise quand le bonheur est chez le voisin, peut-être qu'après, ça y tentera pas de v'nir chez vous.

Le bonheur 1968 [20]

QU'EST-CE QU'Y FAIT L'BONHEUR, Y PASSE. SI T'ES PAS PRÊTE POUR QUAND Y PASSE, TANT PIS POUR TOÉ.

Le bonheur 1968 [21]

Y en a des belles à regarder
Y en a qui sont à éviter
Mais qu'on aime ça, qu'on aime pas ça
Si y en avait pas, on s'rait pas là
Les fesses, les fesses, les fesses...

Les fesses 1972 [22]

. . . Si le monde regarderait, il woèrait !

Il woèrait que la vie est remplise de toutes sortes de belles affaires gratisses que t'as inque à profiter de, si t'as envie pour.

Le bonheur 1968 [23]

(LE BONHEUR)

… Quand tu t'maries, c'est la plus belle journée d'ta vie, la journée la plusse importante. Parce qu'avant de t'marier, le bonheur tu sais pas qu'osse que c'est. Pis après, y est trop tard.

La noce de la fille du boss 1970 [24]

J'tais rendu assez gêné, non seulement j'parlais pus à parsonne, j'écoutais même pus quand l'monde me parlait.

BEN NON : D'UN COUP J'AURAIS ÉTÉ OBLIGÉ D'RÉPONDRE APRÈS !

La honte 1970 [25]

... J'AIMERAIS VOUS RACONTER UNE EXPÉRIENCE PERSONNELLE QUE JE N'AI PAS VÉCUE PERSONNELLEMENT.

Le positif 1975 [26]

Je préconise donc un retour à la terre. Y faudrait qu'les gens des villes déménagent à campagne; comme ça, nous autres on aurait la paix icitte.

Mais quand tu fais un retour à la terre, faut être très prudent. J'ai un chum qui s'est acheté une ferme pis y a monté su'a grange pour réparer le toit. Y a tombé en bas pis trois jours après, y l'ont enterré. Ça, c'est un retour à la terre un peu trop rapide à mon goût…

La nature 1975 [27]

Avant d'aller plus loin, j'aimerais ça me présenter. Je suis Roger Lalumière et si je suis ce que je suis, c'est que je ne suis plus.

Non, je ne suis plus. Avant, je suivais. Non, je ne suis plus et non seulement je ne suis plus ce que j'étais, mais je suis tellement devenu ce que je suis depuis que je ne suis plus, que je suis maintenant un exemple à suivre.

Le positif 1975 [28]

Y en a, quand y ont des accidents, y sont pas capables de l'prendre.

Lui, y était d'même.

> « Ah ! mon Dieu ! C'est donc grave, j'ai eu un accident ! »

Tout ça parce qu'y s'était fait couper les bras pis les jambes.

> ... « Jeune homme de 19 ans, tu as eu un p'tit accident, c'est malheureux. Mais c'est pas grave, y faut voir le beau côté qu'y peut y avoir à pas avoir de bras pis d'jambes ! »

> « Entécas, c'est pas toé qui vas te geler les orteils c't'hiver ! Ça t'coûtera pas cher de mitaines ! Y a ben du monde qui aimeraient ça être à ta place : passer les maudites grandes journées assis ! Fatiquant ! »

> « Vous savez pas c'que c'est de pas avoir ni d'bras ni d'jambes. »

> « Arrête de t'plaindre. Plains-toé pas parce que t'as pas d'bras ni d'jambes. Les trois-quarts du monde ont pas d'tête pis y s'plaignent pas eux autres, niaiseux ! »

> *Le positif* 1975 [29]

C'est là qu'y a appelé Abraham.
Le bon Dieu était pas fou !

Y dit :

> « *Si j'veux qu'ça marche j'vas aller m'chercher un Juif.* »

Là, y a appelé Abraham.

Y dit :

> « *Qu'ossé qu'tu fais après qu'ton magasin est fermé ?* »

Abraham dit :

> « *I don't understand what you say.* »

Le bon Dieu dit :

> « *Abraham, veux-tu faire d'l'argent ?* »

Abraham dit :

> « *Vous m'avez appelé, Seigneur ?* »

L'histoire sainte/La création 1975 [30]

PENSEZ-VOUS À ÇA DES FOIS, LE TEMPS ? (…) C'EST TRÈS IMPORTANT LE TEMPS ! Y FAUT Y PENSER, MAIS Y FAUT Y PENSER DE TEMPS EN TEMPS. FAUT PAS Y PENSER TOUT L'TEMPS NON PLUS !

PARCE QUE SI TU PENSES TOUT L'TEMPS AU TEMPS, TU PERDS TON TEMPS !

Le temps 1977 [31]

(LE TEMPS)

Y est après effacer ma grand-mère !

Est partie à cinq pieds et un, 1 22 livres; est rendue à quatre pieds dix, 93 livres. Dans l'temps de l'dire y en restera pus !

Le temps 1977 [32]

(MA MÈRE)

À dit :

> « *Tu vas être un homme quand tu vas être capable de prendre les claques pis les punitions sans brailler.* »

J'y dis :
> « *Essaye-moé encore.* »

À m'sacre une claque pis à m'dit :

> « *Marche dans ta chambre !* »

> « *MAAAAAA… AAAAAAHH !* »

J'veux être un homme 1977 [33]

T'sais les vendredis soirs après l'école, des fois à 12-13 ans, t'as envie d'faire des farces. J'attendais ma chance de placer une farce quand d'un coup, mon p'tit frère s'allonge la main pour prendre une tranche de pain. J'accroche ma fourchette : **PACLANG !**

J'y plante la main dans table. Ah, on a assez ri moé pis mon frère... euh, mon autre frère !

J'veux être un homme 1977 [34]

Ce qui m'intrigue le plus, c'est de savoir comment ces gens-là peuvent être si joyeux, s'ils ont rien.

Paul dit :

> *« Quand t'as rien, t'as tout. Si t'as quelque chose, y te manque un paquet d'affaires. Si t'as rien, y peut rien te manquer. »*

C'est la vie 1977 [35]

C'est merveilleux de penser qu'il suffit d'oublier son p'tit quotidien, qu'il suffit de faire le vide à l'intérieur pis tout à coup, nous voilà remplis d'une joie incommensurable.

Et à ce moment-là, nous n'avons qu'à r'garder not' voisin avec sincérité et lui dire à haute voix :

« AH ! QUE LA VIE EST BELLE ! »

et le voilà transporté de joie.

La manipulation 1979 [36]

Une autre inégalité que j'accepte pas :
C'EST QUAND QUE J'FILE MAL, C'EST D'SAVOIR QU'Y A DES ÉCŒURANTS QUI FILENT BEN PAREIL.

La manipulation 1979 [37]

SAVEZ-TU QU'OSSÉ QUI M'A EMPÊCHÉ D'FAIRE QUECQUE CHOSE, MOÉ ? LA PEUR.

La peur 1981 [38]

J'ai dit :

> « *Pardon ma tante ?* »

À dit :

> « *La vie n'est qu'un passage.* »

Ah j'ai dit :

> « *La vie n'est qu'un passage… Qu'ossé qu'y a au boutte du passage ? C'est-tu l'salon ou ben les toilettes ? On va-tu chanter alléluia ou ben on va tirer la chaîne, han ma tante ?* »

Le mariage 1981 [39]

Si y a tant de stress pis d'peurs pis d'angoisses aujourd'hui, c'ta cause de c'te maudite argent-là. Ça fait des années que tout l'monde s'imagine que l'argent c'est la plus grande valeur pis comme l'argent perd d'la valeur toués jours, le monde s'énarve. Si on veut s'passer d'nos peurs, faut qu'on s'accroche à des vraies valeurs, des valeurs qui en valent la peine !

L'idole 1981 [40]

Ça fait que j'me commande une bière, mon chum arrive sur l'entrefaite, y a boit.

J'ai dit :

> *« Comment ça va aujourd'hui ? »*

Y dit :

> *« C'est pas d'tes affaires. »*

Ben j'm'ai dit :

> *« Ça, c'est un ami ! C'est encore un meilleur ami que j'pensais. Y a des problèmes pis y veut pas m'énarver avec ça. »*

L'amitié 1981 [41]

... si c'est vrai qu'on peut pus croire en parsonne, ça veut dire que c'est vrai qu'on peut pus croire dans rien non plus.

La religion 1981 [42]

… IMAGINEZ-VOUS si y fallait qu'on ressuscite exactement comme on était quand on est mort ! Tu meurs à 102, sénile, impotent pis incontinent : vas-tu chier dans tes culottes toute l'éternité ? Ça, j'me pose c'te question-là. Ou bedon si les bébés restent des bébés, combien y va en avoir de milliards, des bébés ? T'as beau être dans l'ciel, si y s'mettent à brailler, ça va être l'enfer ! Non, mais c'est des questions qu'y faut s'poser ! Comme un gars qu'y a été marié cinq fois, y va-tu être pogné avec toute la gang ? Si t'es noir, as-tu l'droit de changer d'couleur ? Non, ben as-tu l'droit de refuser d'abord ? Ça, c'est des questions très importantes.

Dieu 1994 [43]

Le samedi soir au mois d'juillet, y a pas parsonne en ville à Québec. Y sont toutes sués plaines d'Abraham. On les voit pas, mais y sont là ! Les buissons qui branlent, c'est pas l'vent ça, non non, chaque Québécois branle son buisson lui-même.

Histoire du Canada 1972 [44]

DANS LA VIE, ON VIT DES MOMENTS EXCEPTIONNELS PIS ON LES VOIT PAS PASSER.

Ouverture – Comment ça 2000? 2002 [45]

On rit pas de quelqu'un qui a le courage de s'ouvrir le cœur pour nous conter ses peurs intérieures.

La fin du monde – Comment ça 2000? 2002 [46]

Quand j'étais jeune, ça existait pas l'argent. Moi, je suis né dans les années 30, y'avait rien que de la misère. Hey, y'avait tellement de la misère à Montréal, y'n'a qui partaient pour l'Abitibi. Fallait que ça aille mal en maudit.

Mirabel – Judi et Yvon font une scène 2006 [47]

LA
LIBÉRATION
DE LA FEMME

ET PiS MOÉ, FAUT QUE J'ARRIVE CHEZ NOUS POUR HUIT HEURES PARCE QUE LE P'TIT LÀ, C'EST LA FEMME D'À CÔTÉ QUI L'GARDE PIS A FAIT SON MANGER, TOUTE, MAIS A VIENT ME L'PORTER À HUIT HEURES.

ET PIS SI CHUS PAS LÀ, A LE LAISSE SU'A GALERIE. PIS Y EST DÉJÀ TOMBÉ. BEN COMME ON RESTE AU DEUXIÈME C'EST PAS TROP GRAVE. T'SAIS, UNE JAMBE À C'T'ÂGE-LÀ, ÇA R'PREND VITE, MAIS Y AURAIT PU S'FAIRE BEN MAL.

La Saint-Jean 1968 [48]

ÇA M'A PRIS QUATRE ANS AVANT DE M'HABITUER À ÊTRE MARIÉ, QUATRE ANS !

La quatrième année, j'commençais à m'habituer tranquillement.

J'COMMENÇAIS. MA FEMME EST MORTE.

À aurait pas pu attendre ? À jamais rien faite comme y faut.

Dans ma cour 1970 [49]

J'AI ÉTÉ AUX NOCES D'LA FILLE DU BOSS

C'est l'boss lui-même qui m'avait invité… pour préparer la salle, la table pis toute ça.

Ben j'ai resté pour la réception. Le boss m'a donné la permission de faire le vestiaire.

La noce de la fille du boss 1970 [50]

COMMENT ÇA LA BELLE-MÈRE RESTE À COUCHER ?

Tu trouves pas que c't'une drôle d'idée, de v'nir jusse ce soir où, par hasard, on aurait pu faire ça tard-tard ?

Le temps de l'amour 1972 [51]

LES MAUDITES VUES ÉROTIQUES !

CEUSES QUI SAVENT PAS C'QUE C'EST DES VUES ÉROTIQUES, C'EST DES VUES D'AMOUR, MAIS VUES DE LA CEINTURE EN DESCENDANT.

La sexualité 1972 [52]

AH ! PARCE QUE MA FEMME, LE SEXE, À POUVAIT PAS SENTIR ÇA. À L'AIMAIT PAS ÇA.

Faut dire que quand ma femme était pas morte, était pas vivante vivante…

Non mais c'était une femme faible, t'sais, plutôt faible, pâle. Ben, pas pâle pâle : j'dirais blanche. Fa qu'on a à peu près jamais rien faite ensemble parce que dans c'temps-là, y avait pas de draps d'couleur pis blanc sur blanc, c'est dur à r'trouver…

La sexualité 1972 [53]

Y a du monde niaiseux, ça s'mariait, ça connaissait rien dans l'sexe; ça mourait, ça n'en connaissait pas plusse. (…)

> *« J'ferai pas mon frais chié tout suite à soir,
> je l'sais que j'connais toute, mais d'un autre
> côté, je l'sais que ma femme connaît rien. »*

Parce que t'sais, les filles, quand ça s'marie c'est toujours niaiseux pis ça connaît pas grand-chose pis toute ça.

La sexualité 1972 [54]

> « *Tu vas pas m'achaler avec ça, ça fait inque six mois et d'mi qu'on est mariés ! M'as commencer à penser que t'es t'un maniaque sexuel ! Tu peux pas te r'tenir un peu ?* »

J'ai dit :

> « *O.K., m'as me r'tenir.* »

La sexualité 1972 [55]

SAVEZ-TU QU'OSSE ÇA VEUT DIRE, ÊTRE POUR LE MOUVEMENT D'LIBÉRATION D'LA FEMME ? LE SAVEZ-TU ? JE L'SAVAIS QU'VOUS L'SAVIEZ PAS.

Ben moi, j'vas vous l'dire parce que moé je l'sais pourquoi que vous voulez vous libérer : c'est parce que vous êtes pas capables d'assumer votre rôle de femme, c'est-à-dire de subalterne.

La libération de la femme 1973 [56]

... NOUS AUTRES, ON EST TOUT L'UNIVERS DE LA FEMME.

OUI ÇARTAIN.

NOUS AUTRES LES HOMMES, ON EST COMME QUI DIRAIT LA SEULE RAISON DE VIVRE DES FEMMES.

OUI, ÇARTAIN !

SANS NOUS AUTRES LES HOMMES, VOUS AUTRES LES FEMMES VOUS POURRIEZ PAS RIEN FAIRE. VOUS POURRIEZ MÊME PAS FAIRE D'ENFANTS.

La libération de la femme 1973 [57]

Y sont pour le mouvement d'libération d'la femme parce qu'y paraît que c'est dur d'avoir des enfants. Y paraît que c'est ben compliqué d'avoir des enfants.

Ben voyons donc !
Qu'ossé ça, avoir des enfants ? C'est rien !
Ben, pour une femme, c'est rien !
Mais pour un gars, c't'une job çartain !

Mais vous dites toujours :

« Ah, on sait ben, les enfants, c'est pas vous
autres qui les portez ! »

AH ! AH ! AH ! AH ! AH ! AH !
TOUJOURS LA BELLE RÉPONSE !

Ben peut-être que c'est vous autres qui les portez les enfants, mais vous oubliez un affaire, c'est que pendant qu'vous les portez les enfants, nous autres on est obligés d'vous supporter !

Pis ça c't'une job en tabarnouche !

La libération de la femme 1973 [58]

C'est rendu que de nos jours, quand une femme accouche, faudrait y donner une médaille.

T'sais :

« J'ai eu un enfant »

COMME SI C'TAIT LA PREMIÈRE FOIS QU'ÇA ARRIVAIT DANS L'MONDE.

Y ONT PEUR DE T'ÇA !

POURTANT, Y A-TU QUECQUE CHOSE DE PLUS NATUREL ?

Y A-TU QUECQUE CHOSE DE PLUS ORDINAIRE QUE D'ACCOUCHER ?

HAN ?

On dirait que les femmes oublient que si elles ont été mis sur la Terre, après toute, c'est jusse pour avoir le privilège de pouvoir faire d'autres hommes.

La libération de la femme 1973 [59]

C'EST ÇA QUI DIFFÉRENCIE FONCIÈREMENT L'HOMME DE LA FEMME.

C'EST QUE L'HOMME TRAVAILLE, LUI !

Je l'sais que les p'tites niaiseries qu'vous faites dans maison, vous pensez que c'est du travail.

Mais j'ai des p'tites nouvelles pour vous autres : on appelle ça du travail, mais c'est jusse parce qu'on a pas encore trouvé d'autre mot pour.

La libération de la femme 1973 [60]

… Si les femmes peuvent faire des affaires, c'est des affaires que nous autres les hommes, on pourrait mieux faire, mais qu'on se r'tient de pas faire jusse pour qu'à pussent les faire et que, par le fait même, elles pussent s'épanouir.

La libération de la femme 1973 [61]

Mais si un gars aime vraiment sa femme, la plus belle affaire qu'y peut faire à sa femme le matin c'est d'oublier sa boîte à lunch su'a table d'la cuisine.

AH ÇA ! À L'AIME ASSEZ ÇA !
LÀ, TU Y DONNES LA CHANCE DE COURIR APRÈS TOÉ SU L'TROTTOIR !

Toutes les voisins voyent pis là à crie :

> *« J'pense que si j'étais pas là, tu mangerais même pas l'midi ! »*

Pis toé tu cries pas, mais tu penses :

> *« Si t'étais pas là j'mangerais, mais mieux… »*

La libération de la femme 1973 [62]

Faut qu'tu penses à t'salir le plusse de linge possible : le lavage, le r'passage, c'est la moitié d'sa vie, à en parle toute la semaine !

… Ma deuxième plus jeune, à 11 ans, à faite son lit elle-même.

Oui, à faite son lit elle-même ! À 11 ans !

J'ai dit :

> *« Es-tu folle, toé ? As-tu oublié que t'as une mère ? On a une mère, c'est pour s'en servir ! »*

… Si on fait pas des efforts pour y trouver quecque chôse à faire, c'te femme-là à va finir par faire une dépréciation nerveuse ! Pis ça s'rait pas correct parce que dans l'fond, c'est pas d'sa faute à elle si c't'une femme pis qu'à l'a rien d'important à faire dans vie.

La libération de la femme 1973 [63]

PIS MOÉ, J'AIME BEAUCOUP MA PORTE. ÇA FAIT QUE QUAND À SONNE, TOUT SUITE J'Y RÉPONDS. PIS ELLE, ÇA LA REND TELLEMENT FIÈRE QU'À S'ROUVRE. LA PLUPART DU TEMPS C'EST PARCE QU'Y AVAIT QUECQU'UN QUI VOULAIT RENTRER. EST PAS SI FOLLE QUE ÇA, C'PORTE-LÀ.

Ma femme 1973 [64]

WOW !
LES P'TITES JEUNES,
ÇA S'HABILLE-TU ÇA, HAN ?

BEN, ÇA S'HABILLE PAS BEAUCOUP, MAIS ÇA S'HABILLE BIEN PAR EXEMPLE.

La noce de la fille du boss 1970 [65]

ON COMPTE JUSQU'À TROIS.

À trois vous r'gardez la personne que vous êtes v'nu avec en pleine face, même si vous l'aimez pas.

Non, mais y a du monde marié aussi.

L'ouverture 1975 [66]

ENSUITE, DIEU A CRÉÉ LA FEMME.

Quand j'ai lu dans l'histoire sainte que c'est Dieu lui-même qui a créé la femme, j'ai douté de Dieu.

J'ai dit :

« Est-ce que Dieu est vraiment parfait ? »

L'histoire sainte/La création 1975 [67]

C'est pas pour rien que les femmes ont jamais eu droit aux bonnes jobs dans l'Église !

Ben, tu peux être sœur, laver des malades, des pitals, des vicaires, des presbytères, mais j'ai jamais vu une femme prêtre, par exemple.

Consacrer des mains d'femme ? Yeurk ! Des mains de démones ! Ça traîné partout où ça sent l'yâbe !

L'histoire sainte/La création 1975 [68]

Adam dit :

> « *C'est ben simple, on va faire un jeu.* »

Ève dit :

> « *Quoi ?* »

Adam dit :

> « *On va s'fermer les yeux pis j'vas mettre certaines de mes affaires dans certaines de tes affaires pis toé, tu vas essayer de deviner quoi. Moé, m'as essayer de deviner où.* »

L'histoire sainte/La création 1975 [69]

HÉ QUE JE L'AIMAIS, C'TE FILLE-LÀ !

En plusse, j'aimais ça prendre des marches avec elle le soir. Était sécuritaire, t'sais : les cheveux verts, la robe saumon, le bleu sués yeux pis l'rouge sués joues.

À BRILLAIT DANS L'OBSCURITÉ, PAS D'DANGER DE S'FAIRE FRAPPER !

L'honnêteté/Ma blonde 1975 [70]

« (…) *Ben, si on sort sérieusement, c'est pas l'temps de s'amuser. L'amour, on rit pas avec ça. Tu travailles, tu rentres pis tu m'attends. Pas d'allage pour acheter des chips tout seule… E-rien !* »

Pis j'ai dit :

« *M'as v'nir te voir le plus souvent possible.* »

… Finalement, à compris, pis à resté à maison, pis à m'a attendu.

Ça, ça été des belles années.

L'honnêteté/Ma blonde 1975 [71]

Un soir, c'tait mon soir de cartes, fa que j'étais chez un chum, pis lui y avait d'autres chums dont deux qui jouaient pas aux cartes.

ENTÉCAS. ON JOUE, ON BOIT, ON MANGE DES PEANUTS.

D'un coup, mon chum y dit :

> *« Ça prendrait une fille pour nettoyer un peu. »*

L'honnêteté/Ma blonde 1975 [72]

SEXÉE LÀ, TELLEMENT SEXÉE !

LE GENRE DE FILLE TU PEUX SORTIR AVEC ÇA DEUX TROIS ANS, TU SAIS PAS ENCORE SI À L'A UN NEZ OU DES OREILLES, ÇA T'INTÉRESSE PAS.

La violence 1977 [73]

JE SUIS CONTRE LA VIOLENCE POUR TROIS RAISONS FONDAMENTALES :

PREMIÈREMENT CHUS INTELLIGENT, DEUXIÈMEMENT CHUS P'TIT, TROISIÈMEMENT CHUS PEUREUX.

La violence 1977-78 [74]

Y dit :

> « *Quand j's'rai pus capable de me r'tenir, qu'y va falloir que j'batte quelqu'un, j'vas m'dépêcher de m'en aller chez nous pis j'vas battre ma femme.* »

… Faut dire qu'au début, y a tuait pas. T'sais, au début, y était smatte quand même. Y y donnait des p'tites claques su'a gueule pour qu'à saigne du nez un peu, des affaires de même…

… Un soir, y rentre un peu paqueté. Y t'y sacre une claque su'a gueule !

À S'CHOQUE !

À y saute dans face, à l'grafigne. Son propre mari ! J'te dis qu'y a vu rouge.

Elle, à pus rien vu : y a bouché les deux yeux…

La violence 1977 [75]

(MA FEMME)

À dit :

> « *Faut faire quecque chose.* »

J'y dis :

> « *C'est pas d'nos affaires.* »

À dit :

> « *Y va la tuer !* »

J'y dis :

> « *Pis ? C'est sa femme ! C'te gars-là y paye le loyer, y l'habille, y a fait vivre, y a des droits quand même !* »

La violence 1977 [76]

(UN GARS QUE J'CONNAIS, LAVIOLETTE)

Y prenait un grand couteau d'cuisine, y s'cachait dans maison pis y attendait qu'à l'aye ben des affaires dins mains.

Quand à passait, y sautait d'vant, y disait :

> « M'as t'tuer ! »

À PITCHAIT TOUTE EN L'AIR ! AH TABARNOUCHE !

Pis avec le couteau, y la forçait à toute ramasser. Ah, les belles soirées qu'y ont passées !

La violence 1977 [77]

LAVIOLETTE C'TAIT UN VIOLENT, MAIS UN VIOLENT FIN. T'SAIS LE GENRE DE GARS TELLEMENT FIN QU'À CHAQUE FOIS QUE TU L'VOIS, T'AS ENVIE D'Y PAYER UNE COUPLE DE BIÈRES. PIS LE GENRE DE GARS QU'AUSSITÔT QU'Y A PRIS TROIS BIÈRES, Y T'PLANTE.

La violence 1977 [78]

EILLE !

Moé j'avais jamais r'marqué qu'y avait autant d'inflation.

J'pensais que c'tait ma femme qui gaspillait.

C'est la vie 1977 [79]

UN BŒUF, 300 LIVRES, SIX PIEDS QUATRE, LE GENRE DE GARS QUE SI Y T'PILE SUÉS PIEDS, POUR S'EXCUSER Y VA T'ASSOMMER D'UN COUP D'POING DANS L'FRONT.

L'amour 1979 [80]

J'vas avoir 45 ans l'été prochain. L'été passé, j'tais sûr que j'avais encore inque 25 ! En faite, 25 et 45, y a pas beaucoup d'différence. Disons qu'y a des choses que tu peux faire deux trois fois par jour à 25 pis qu'à 45, tu y penses deux trois jours avant d'les faire…

La mémoire 1979 [81]

L'autre jour, j'y parlais, y dit :

> *« J'm'en rappelle très bien du 17 février 1931 »*

J'y ai dit :

> *« Qu'ossé qui est arrivé ? »*

Y dit :

> *« Ça j'm'en rappelle pas. »*

Non, mais y s'rappelait d'la date, c'est déjà beau, franchement !

La mémoire 1979 [82]

Pendant l'accouchement, j'ai failli perdre connaissance trois fois. Une chance que ma femme avait suivi les cours, fa qu'à m'épongeait l'front, à m'encourageait.

La paternité 1979 [83]

Le docteur y dit :

> *« C'est une fille ! »*

J'y dis :

> *« J'le savais déjà : à s'est mis à chiâler en sortant. »*

J'la r'garde :

> *« Yeurk ! »*

Fa qu'là, ma femme à dit :

> *« Qu'ossé qu'y a ? »*

Ah, j'ai dit :

> *« C'est rien, mon minou, j'pense que tu l'as pas fini. »*

J'ai dit :

> *« Docteur, escusez-la, c'est son premier, on se r'prendra la prochaine fois. On peut la jeter, on va r'commencer. »*

La paternité 1979 [84]

Le docteur y dit :

> « *Bon. Ben pour les premières semaines,
> ce serait bon que vous donniez les boires
> de nuit.* »

J'y dis :

> « *À qui vous parlez, là vous ?* »

Y dit :

> « *À vous.* »

J'y dis :

> « *Moé ? Pourquoi j'ferais ça ?* »

Y dit :

> « *Vot' femme est fatiguée.* »

J'y dis :

> « *Qu'ossé qu'à faite ?* »

Y dit :

> « *C'est dur d'accoucher.* »

J'y dis :

> « *Parlez-moé z'en pas, chus à moitié
> mort ! Ça fait quatre jours qu'est couchée,
> moé j'ai toute passé ça d'boutte !* »

FA QUE LÀ, Y M'A ESPLIQUÉ QUE LES FEMMES C'EST BEAUCOUP PLUS FAIBLE QUE LES HOMMES, C'EST PROUVÉ SCIENTIFIQUEMENT !

La preuve que les femmes sont faibles, c'est que la moindre p'tite affaire les met su l'dos.

> *« C'est parfait docteur, à quelle heure voulez-vous que j'donne ça ? »*

Y dit :

> *« Minuit pis quatre heures. »*

(…) C'est là qu'tu vois comment c't'épais un bébé ! Y arrive à maison, y s'rappelle pus pantoute les heures qu'le docteur avait dit !

La paternité 1979 [85]

Un après-midi, paraît une jeune fille dans le box des témoins.

Là, l'juge y demande son nom…

À répond :

> *« Bobinette. »*

Le juge y dit :

> *« Est-ce que c'est un nom de plume ? »*

À dit :

> *« Non, non, non, c'est un nom de lit. »*

Y dit :

> *« Quel est votre travail ? »*

Ben à dit :

> *« J'travaille… j'travaille pas tellement. »*

Fa qu'y dit :

> *« Comment gagnez-vous votre argent ? »*

À dit :

> *« Couchée. »*

Un chef de pègre 1979 [86]

… DES FILLES C'EST COMME DES CHATTES.

En faite, des fois tu leur flattes le dos, y ronronnent, y ont l'air d'aimer ça :

> *« Encore… Encore… Blllp ! Blllp ! Encore… Blllp ! Encore… »*

Là toé, t'es encouragé, tu descends plus bas.

À t'crie :

> *« Respecte-moi ! »*

EILLE, QUAND UNE FILLE FRÔLE UN GARS OÙ C'QU'Y FAUT POUR Y FAIRE COMPRENDRE QUE ÇA Y TENTE, AVEZ-VOUS DÉJÀ ENTENDU UN GARS CRIER :

> *« Respecte-moi ! »* ?

Les filles 1981 [87]

QUOI C'EST QU'TU PARLES AVEC UNE FILLE ?

T'SAIS, FRANCHEMENT !

C'EST LIMITÉ COMME SUJETS, HAN !

Ben, après que t'as dit :

> *« Envoye donc… »*

pis qu'à dit :

> *« Oui »*

Y RESTE PUS GRAND CHOSE À DIRE !

Tandis qu'un homme, c'est tellement intéressant à parler, han ?

NON, UN HOMME C'EST INTÉRESSANT À PARLER PARCE QU'UN HOMME TU PEUX Y PARLER DE N'IMPORTE QUEL SUJET, Y SAIT TOUT L'TEMPS L'NOM DES JOUEURS.

Les filles 1981 [88]

… Avait pas d'top, avait rien, était flat flat flat ! À en avait tellement pas j'pensais qu'était de dos ! Un moment donné, à s'met à parler, ça bougeait par en haut.

J'ai dit :

> *« Est d'face, elle ! »*

E-RIEN ! EILLE, J'TAIS D'MÊME !

J'ai dit :

> *« Qu'ossa donne d'être une fille si à en a pas ? »*

Non, mais une fille qui en a pas, ça sert pas. C'est comme un bécyk à gaz pas d'pognées : t'as rien pour te partir !

Les filles 1981 [89]

ÉTAIT TELLEMENT MAIGRE, À PIQUAIT N'IMPORTE QUEL BORD TU LA TOURNAIS !

J'y ai dit :

> *« J't'aime beaucoup, mais moé j'ai pas eu de training comme fakir. M'as m'pratiquer avec une planche à clous pis on verra, t'sais ! »*

Le mariage 1981 [90]

QUAND QU'ON EST EN COUPLE, ON PARTAGE.

T'sais, y a le partage des responsabilités, y a le partage des tâches. Comme, par exemple, elle, à fait des tartes, toé tu les manges…

Un autre partage que j'aime beaucoup aussi c'est que toé tu salis ton linge… elle à l'lave.

… Les femmes faut pas trop s'glorifier parce que c'est vous autres qui les faites les tartes !

Parce que m'as vous dire quecque chose : la plupart du temps, c'est pas plus drôle les manger que d'les faire !

CERTAINEMENT !

Surtout les premières années, tabarnouche, y ont jamais faite ça, y pratiquent su toé, chose !

Le mariage 1981 [91]

… Savez-vous-tu c'qui fait la nuit, moé mon idole,
savez-vous-tu c'qui fait la nuit mon idole, moé ?

NON MADAME, Y DORT PAS.

C'est pas vot' mari, c't'un homme mon idole, moé !

L'idole 1981 [92]

Pourquoi suis-je ce que je suis ?
Et non ce que je voudrais être ?
Au beau milieu de la vie
Est-il encore possible de naître ?

Chacun dit je t'aime 1975 [93]

Ma femme a rasé s'faire violer d'même. Y a un gars qui y a sauté d'sus su'a rue. Le gars y a sauté d'sus su'a rue, le gars. Y a sauté, vlack ! su ma femme. Là, quand y l'a vue comme faut, y est parti. Mais ça, c'est un autre affaire, eille. Non, mais y était pas marié avec, lui ! Y était pas obligé d'continuer, bon !

… C'est le drame de la femme : la femme agace sans s'en apercevoir. C'est malin d'naissance t'sais, c'est venu au monde malin pis ça reste malin.

VOYONS DONC, C'EST ÉCRIT DANS BIBLE !

LA BIBLE, c'est pas un roman Harlequin ça, c'est vrai c'qui est écrit là-d'dans, et la femme vient au monde maline. (...)

> … *« Tu t'es pas rendu compte comment t'as agacé c'te gars-là, toé ? »*

À dit :

> *« Non… »*

J'ai dit :

> *« Ça s'peut pas. »*

Eille, agacer d'même, c'est écœurant !

Imaginez-vous ça, savez-vous qu'ossé qu'à faisait ? **C'EST ÉCŒURANT !** À marchait su'a rue, tout seule, écoutez ben ça : tout seule, tout seule, dix heures et d'mie l'soir. On rit pus là, tout seule dix heures et d'mie le soir, l'été, en robe !

Une malade, c'est une malade, qu'est-ce tu veux ?

Les tapettes 1983 [94]

… *Sexuellement, la tapette est tellement privilégiée sur l'homme normal ! Selon Statistique Canada, la tapette changerait de chum 80 fois dans une vie, toués quatre mois et d'mi ! Nous autres, on est pognés toute not'vie avec la même vieille affaire qui ramollit tout l'temps ! Et combien d'fois l'homme normal doit-il s'humilier pour faire l'acte ? Combien d'fois ?*

Les tapettes 1983 [95]

« *Ici, nous servons à peu près 300 repas
par jour, vous pourriez laver la vaisselle ?* »

Une chance, j'avais amené mon dictionnaire, j'y dis :

« *Regardez ici : Bénévole : personne qui fait
une chose sans y être obligée.* »

Vous pouvez pas m'obliger à laver la vaisselle, moé
là !

… Non, non, j'ai dit :

« *Si y a des femmes en détresse ici, ça
doit être parce qu'y sont en manque
d'homme ! Envoyez-moé sués étages, m'as
leur régler leur cas ! Une vingtaine après-
midi pis je r'viendrai demain.* »

Non, mais j'tais fatiqué un peu t'sais, fa que…

Les bénévoles 1992 [96]

EILLE, MOÉ CHUS ALLÉ DANS UNE COMMUNE, ON ÉTAIT 18, 3 GARS, 15 FILLES.

Moé, chus rentré là j'pesais 120. Après quatre mois, chus sorti pis pour qu'la balance marque 100 y fallait que j'saute.

EILLE, J'AVAIS LES JOUES COLLÉES ENSEMBLE. J'ÉTAIS TELLEMENT ÉCŒURÉ D'FAIRE L'AMOUR, J'ME SUS MARIÉ.

La famille 1994 [97]

Au mois d'février, on était à not' p'tit chalet à Saint-Jovite, su'a montagne. Un matin, on s'lève. D'la neige, eille, on voyait pas dehors, on voyait pus l'char.

Ma femme à dit :

> *« Eille, y est neuf heures et demie pis j'veux être partie à midi ! »*

Fa qu'chus allé chercher la pelle, t'sais, pis là j'y ai donnée.

J'ai dit :

> *« T'es mieux d'commencer à pelleter, on sait jamais… »*

… Mais c'est là que j'ai vu que le psychologique, c'est fort en tabarnouche !

Était tellement sûre d'avoir vu moins 41 qu'à avait pas le rythme habituel. À avait d'la misère à pelleter ! Pourtant, moé, je l'encourage, j'reste dans fenêtre, tout ça…

NON, NON, JE L'ABANDONNE PAS COMME ÇA !

J'la dirige où mettre la neige, tout ça. Non, non, pis après on prend un chocolat chaud ensemble… si à en a faite, bon, toute !

EILLE, WO ! J'SAIS VIVRE !

La technologie 1994 [98]

Quand on commence à sortir avec une fille, on pense toujours que le pire qu'il puisse nous arriver c'est qu'elle nous laisse tomber. Le pire qu'il puisse t'arriver c'est qu'elle te laisse pas tomber.

Les filles 1991 [99]

Non mais moi je me dis quand tu te déshabilles pis que ta femme se met à rire, t'es aussi bien de faire des spectacles.

Ouverture – Comment ça 2000? 2002 [100]

« *Minou, si tu savais comme ça me fait de la peine de penser que peut-être la fin du monde va nous séparer. Maudit que j'aurais aimé ça avoir le courage de partir par moi-même.* »

La fin du monde – Comment ça 2000? 2002 [101]

« *Êtes-vous mariée vous ? Hey monsieur, quand sont pas domptées, on les sort pas. Si on les laisse faire, elles vont se mettre à parler sans demander la permission.* »

La fin du monde – Comment ça 2000? 2002 [102]

Les femmes ont des molécules qu'on a pas, des molécules qui leur permettent de donner la vie, de nourrir leur bébé.

Quand les molécules sont bien placées, ça a de l'allure. Le bon Dieu s'était pratiqué : y'ont moins de coins carrés, moins d'affaires qui pendent. Au début.

*La fin du monde – **Comment ça 2000?*** 2002 [103]

« C'EST ÉCRIT DANS LA BIBLE

« Il n'est pas bon à l'homme d'être seul. Adam s'ennuyait. »

PENSONS-Y UN PEU.

JE SAIS QUE QUAND ON LIT LA BIBLE ON EST PAS SUPPOSÉ PENSER, MAIS DÉROGEONS À LA RÈGLE.

... IL POUVAIT PAS S'ENNUYER DE SA MÈRE, IL EN AVAIT PAS. IL PARTAIT DU NÉANT, IL ARRIVE, IL S'ENNUIE.

HEY, IL FAUT ÊTRE ENNUYEUX RARE POUR S'ENNUYER DE RIEN. »

La fin du monde – Comment ça 2000? 2002 [104]

« À m'tombe sués nerfs, t'sais ! C'est toujours la même affaire avec elle : le soir, on r'garde la vue à télévision, à s'endort avant la fin d'la vue. Le lendemain midi, quand on dîne, à m'astine su'a fin d'la vue.

... Fa qu'on s'parle pus. On s'crie. C'est normal, on est sourds toués deux. C'est dur de s'chicaner quand on est vieux. Ben, c'est pas dur de s'chicaner, mais c'est dur d'en r'venir.

Quand t'es jeune c'est différent parce que quand t'es jeune, même si tu t'chicanes ben fort, tu sais qu'à un moment donné tu vas t'réconcilier pis ça va être le fun. »

Les vieux 1977 [105]

LA
FAMILLE

QUAND J'AI LÂCHÉ L'ÉCOLE À 13 ANS, MON VIEUX PÈRE
Y ÉTAIT SU SON LIT D'MORT, Y DIT :

> *« Mon p'tit garçon, j'peux pas t'laisser*
> *d'héritage. »*

J'M'EN DOUTAIS UN PEU : À VITESSE QUI BUVAIT !

Les unions qu'ossa donne ? 1968 [106]

C'EST DRÔLE À C'T'ÂGE-LÀ LES VIEUX, HAN ?

ÇA S'ACCROCHE PIS ON SAIT PAS POURQUOI.

DES FOIS, LES VIEUX C'EST COMME LES P'TITS :

T'SAIS, C'EST PAS PROPRE…

Pépère 1968 [107]

« PÉPÈRE, JE COMPRENDS PAS QUE MÉMÈRE AYE MARIÉ UN VIEUX COMME VOUS. »

Pépère 1968 [108]

« *Pépère, vous parlez de « dans l'temps »
parce que dans c'temps-là, vous étiez
capable de faire quecque chose pis là vous
êtes pus bon à rien. C'est toute !* »

Pépère 1968 [109]

« *Ben non, y a pas d'père Noël là-
d'dans ! C'pas une parade pour les enfants,
c't'une parade pour le grand monde. Y a
même pas d'bouffons là-d'dans.* »

J'avais pas encore r'gardé l'autre bord de la rue*…

La Saint-Jean 1968 [110]

* L'autre bord de la rue, c'était l'estrade d'honneur où siégeaient des
personnalités politiques dont Jean Drapeau et Pierre Elliott Trudeau

Tout le monde a tout le temps travaillé, inque ma mère qui travaillait pas.

C'EST PAS DE SA FAUTE : AVAIT TROP D'OUVRAGE.

L'argent 1968 [111]

NON, BEN MA FEMME À EN PARLAIT DU BONHEUR PARCE QUE MA FEMME À L'AVAIT CONNU L'BONHEUR...

AVANT QU'ON SE MARISSE, QUAND ELLE ÉTAIT PLUS JEUNE. À AVAIT CONNU L'BONHEUR PARCE QUE L'BONHEUR AVAIT RESTÉ PAS LOIN D'CHEZ EUX.

Le bonheur 1968 [112]

EN FAITE, J'AVAIS DEUX GRANDS-MÈRES QUAND J'TAIS P'TIT.

Une p'tite p'tite p'tite là, tu sais ?

Ben cassante, fragile terrible. Ben celle-là, on s'en servait inque au jour de l'An.

T'sais, y nous la descendaient dans l'escalier et pis on la r'gardait. Y fallait pas parler, rien. Parce qu'à l'aurait brisé, t'sais.

MAIS ON EN AVAIT UNE AUTRE PLUS GROSSE.

Celle-là, on s'en servait toués jours.

Ben, grosse, euh, était pas grosse grosse. Disons qu'la seule différence qu'y avait entre ma grand-mère pis un bulldozer, c'est qu'les bulldozers sont jaunes.

AH OUI !

ELLE AVAIT LA PALETTE EN AVANT, TOUTE !

La maladie 1968 [113]

C'est parce que moé mon père, quand on y parlait, y disait souvent ça :

« *Pis après ?* »

Ça fait que t'étais mieux d'y parler avant.

L'argent 1968 [114]

Mon père à pital, nous autres tout seuls, ça nous a jamais empêchés d'arriver. On a tout l'temps arrivé à arriver. Y avait ben du monde qui étaient ben plus riches que nous autres, y arrivaient pas à arriver pantoute. Nous autres, on arrivait tout l'temps à arriver. Des fois on arrivait tard, on arrivait fatiqués, mais on arrivait pareil.

L'argent 1968 [115]

(MON GARS)

> *« Quand est-ce qu'y va venir, le bonheur ?*
> *Quand est-ce qu'y va venir, le bonheur ? »*

J'y disais :

> *« Si tu t'la fermes pas, toé tu vas te coucher de*
> *bonne heure ! Fais comme moé pis attends,*
> *correct là ? »*

Le bonheur 1968 [116]

CES ENFANTS-LÀ, Y ONT EU TOUTE POUR PAS QU'Y SOYENT DANS RUE.

Ces p'tits maudits-là, aussitôt qu'on tourne le dos, y prennent des pancartes, **WOOM** !

Y sont dans rue !

UNE VRAIE HONTE…

La honte 1970 [117]

Imaginez-vous, quand le p'tit Jésus est v'nu au monde, on aurait pensé qu'y aurait eu un gros party ! Crime, ça faisait des milliers d'années qu'y l'attendait.

Tout l'monde s'écrivait :

> *« Envoye, attention, y s'en vient, ça s'ra pus long, là ! Y va v'nir, watchez-le, watchez-le, y s'en vient ! »*

… Cent ans avant qu'y vienne au monde ça criait partout :

> *« Hosanna, hosanna, hosanna ! »*

Y arrive… pas un chat.

Y a jusse l'ange qui s'est garroché su'a crèche pour faire le trafic, y est pas v'nu personne.

Trois moutons pis un berger.

Le p'tit Jésus 1970 [118]

BEN MOÉ QU'OSSE QU'Y M'A FAITE LE PLUSSE DE PEINE, C'EST QUAND QUE J'PENSE QUE C'T'ENFANT-LÀ QU'ON ATTENDAIT DEPUIS SI LONGTEMPS, EN PLUSSE DE T'ÇA Y S'EST ADONNÉ À V'NIR AU MONDE EN PLEIN LA NUIT DE NOËL !

Le p'tit Jésus 1970 [119]

BEN OUI, Y A ÉTÉ OBLIGÉ D'ATTENDRE APRÈS LES ROIS MAGES, LES GRANDS TARLAS D'L'HISTOIRE SAINTE !

LES GRANDS NIAISEUX QU'ON FÊTE ENCORE.

Si c'était inque de moé, on en parlerait même pus !

Ces grands écœurants-là, que tout l'monde se fiait su eux autres pour les cadeaux du p'tit Jésus, han, tout l'monde se fiait su eux autres : y étaient partis six mois d'avance ! Des gros chameaux, toute !

… EN PLUSSE, Y ARRIVENT AVEC LEURS CADEAUX : D'LA MYRRHE ET DE L'ENCENS.

POUR UN BÉBÉ NAISSANT, ÇA C'T'UN BEAU CADEAU !

J'te dis qu'y ont pas faite les magasins longtemps pour trouver ça, han !

Y auraient pas pu y acheter un gun comme tout le monde ?

Le p'tit Jésus 1970 [120]

MOÉ J'CONSIDÈRE QUE DANS TOUTE C'T'HISTOIRE-LÀ, C'EST LA SAINTE VIERGE QUI ÉTAIT L'PLUSSE PIRE.

PARCE QUE QUAND ON Y PENSE COMME FAUT, C'EST ELLE QUE ÇA ÉTÉ LE PLUS DUR DE PASSER AU TRAVERS. PARCE QU'À EN A ARRACHÉ EN CRIME !

UNE P'TITE FILLE, UNE P'TITE FILLE !

DIX-HUIT, DIX-NEUF ANS, PEUT-ÊTRE MÊME SEIZE, ON L'SAIT PAS. UNE TOUTE PETITE FILLE, PAS D'EXPÉRIENCE, À L'AVAIT JAMAIS RIEN VU…

NON, DANS C'TEMPS-LÀ, ÇA SORTAIT PAS !

Y AVAIT PAS DES VUES POUR T'EXPLIQUER TOUTE COMMENT ÇA S'PASSAIT, PIS FAIS CI PIS FAIS PAS ÇA !

Le p'tit Jésus 1970 [121]

Y avait inqu'un affaire qui nous énarvait dans cour, c'est que toutes les logements y s'trouvaient à avoir chacun une porte qui donnait dans cour : la porte d'en arrière.

ÇA FAISAIT 16 PORTES TOUT L'TOUR D'LA COUR...

Pis nous autres, les p'tits gars, on savait qu'en arrière des **16 PORTES** y avait **16 MÈRES** qui étaient cachées là, au cas y'où c'qu'on aye du fun, t'sais ?

C'T'ÉPEURANT EN CRIME, ÇA !

NON MAIS ÇA PARAÎT PAS, MAIS 16 MÈRES, ÇA FAIT 32 BRAS, ÇA !

Là j'vous parle dans l'temps que les mères attaquaient sans avertissement ! Non, c'est pas comme aujourd'hui ça ! Aujourd'hui les mères sont nounounes un peu, y niaisent c't'effrayant !

NOS MÈRES NOUS AUTRES, Y AVAIENT PAS L'TEMPS D'NIAISER COMME ÇA. Y TRAVAILLAIENT !

Y AVAIENT JUSSE LE TEMPS D'DONNER DES CLAQUES !

Dans ma cour 1970 [122]

LES P'TITES MAUDITES MÈRES AUJOURD'HUI, ÇA PAS D'CŒUR, T'SAIS. ÇA PENSE INQUE À UN AFFAIRE : SE DÉBARRASSER D'LEURS ENFANTS, LES ENVOYER À L'ÉCOLE LE PLUS VITE POSSIBLE PIS LES LAISSER LÀ LE PLUS LONGTEMPS POSSIBLE.

Dans ma cour 1970 [123]

… Toutes les mères avaient la même méthode d'élevage dans c'temps-là ! Même si après ton mauvais coup dans cour, quand était v'nue t'chercher, qu'à t'avait donné 71 claques su'a tête, qu'à t'avait arraché un bras en te traînant dans maison pis qu'à t'avait cogné l'front su'a clenche de porte, ça comptait pas. Ça, c'était dans l'énarvement ! À savait pas c'qu'à faisait.

Y fallait qu'à te batte en ayant conscience de c'qu'à faisait ! Fallait qu'en d'dans à t'donne la volée, la vraie ! Su ce qui t'restait…

Dans ma cour 1970 [124]

« Le ti-gars à moman y pense que moman a été bien sévère avec lui là, han ? Y pense que moman l'a tapé fort fort fort ?

C'est rien ça ! Attends que ton père rentre ! Y va t'tuer ! »

Heureusement, mon père rentrait à peu près jamais. Pis quand y rentrait y était tellement paqueté, y était pas capable de nous pogner. Y essayait, mais finalement y s'effoirait pis y dormait là.

Mais c'est choquant pour une moman !

Quand une moman a promis à son enfant que son popa était pour le tuer, pis que l'autre épais y touche même pas, à passe pour une folle !

Dans ma cour 1970 [125]

T'ES SUPPOSÉ ÊTRE BEN QUAND T'ES P'TIT.

T'ES PAS SUPPOSÉ AVOIR D'PROBLÈMES AVEC LA VIE QUAND T'ES P'TIT.

ON AVAIT PAS DE PROBLÈME AVEC LA VIE, ON AVAIT BEN'QUE TROP PEUR DE MOURIR...

Dans ma cour 1970 [126]

Vous avez-tu pris
vos résolutions
de jour de l'An ?

Non ? Parfait !
Comme ça vous êtes sûrs
de t'nir jusqu'à l'année
prochaine.

Je suis comique/On va s'en sortir 1972 [127]

En faite, on en avait deux (des grand-mères) t'sais, on en avait une grosse toffe, celle-là on s'en servait toués jours, pas d'problème.

On en avait une autre, c'tait une p'tite p'tite ben cassante, à pesait 65-67 livres, t'sais.

Celle-là, on s'en servait inque au jour de l'An. C'est là qu'la peur nous pognait.

Oui parce qu'y fallait aller proche proche y dire :

« Bonne année, grand-moman ! »

Mais pas trop fort pour pas qu'à fêle.

… On avait peur pour mourir ! Fa qu'là quand on était toutes passés, y la r'prenait, y la r'montait, y la r'serrait jusqu'à l'année d'après.

Là, le fun pognait.

Je suis comique/On va s'en sortir 1972 [128]

J'ai été jusqu'à pital, chus rentré dans salle d'urgence t'sais la salle où c'que l'monde attend des semaines pis des semaines ?

Y avait une famille qui campait dans un coin depuis deux mois et d'mi; y avait une femme avec ses jumeaux de deux ans qui attendait qu'le docteur vienne l'accoucher.

J'y dis :

> « *Faites-vous en pas, y s'ra sûrement à temps pour les vacciner pour l'école.* »

Le positif 1975 [129]

Ça faisait pas une heure que j'tais dans classe, le frère me d'mande :

« *Huit fois huit ?* »

J'tais content d'savoir la réponse :

« *52 !* »

Le grand tarla m'sacre un coup d'pied, y dit :

« *49.* »

J'dis :

« *49 !* »

Le frère me dit :

« *Laisse-toé pas influencer, tu l'avais, c'est 52.* »

Non, mais on avait-tu des bons frères !

La violence 1977 [130]

Deux jours dans c'te cabane-là, t'en apprenais plusse qu'en six mois d'école !

Ça fait qu'on était toute la gang dans cabane, on v'nait jusse de finir de jouer après la p'tite fille d'à côté, j'dis :

> *« Les gars, r'gardez-moé, je suis dev'nu un homme ! »*

… Ben y dit :

> *« Si tu fumes pas, tu peux pas être un homme. »*

J'y dis :

> *« Mon père fume pas, lui ! »*

Y dit :

> *« C'est ça que j'te dis. »*

J'veux être un homme 1977 [131]

À dit :

> *« C'est pas ça être un homme, épais ! Tu vas être un homme quand tu vas être capable d'arrêter de boire. »*

J'ai dit :

> *« Wo ! J'bois presque pas. »*

Non, chus comme tout l'monde, j'aime ça prendre un verre ou douze…

Non, j'ai une certaine faiblesse, chus pas capable de passer devant une taverne sans rentrer. Pis entre chez nous pis où j'travaille, y en a 28. Fa que des fois, j'arrive un peu en r'tard su'a job. J'pars travailler le lundi matin vers sept heures, j'arrive vers quatre heures l'après-midi… le mercredi ou jeudi.

J'veux être un homme 1977 [132]

J'pars avec mon deuxième plus vieux, j'vas y acheter une paire de souliers. J'achète un p'tit soulier très simple, un p'tit soulier vert avec une semelle blanche, un lacet mauve, un talon d'cinq pouces, rien d'compliqué.

Je demande au gars :

« *Combien ?* »

Y dit :

« *Quarante-deux dollars.* »

J'y dis :

« *Ça s'peut pas ! Quarante-deux piastres ?*
C't'enfant-là a sept ans et d'mi, les pieds
y allongent tellement vite que dans deux
mois y rentrera même pus dans vos
souliers ! »

Ah, l'gars y dit :

> « *Énarvez-vous pas ! Ça été pensé pour.* »

J'y dis :

> « *Arrête donc ! Y a-tu des flaps qui rouvrent
> en avant, quecque chose ?* »

Y dit :

> « *Non, mais dans un mois et d'mi y vont
> être finis.* »

… Quarante-deux piasses, des souliers qui vont être
finis dans un mois et d'mi ! Ça s'peut–tu ?

> « *C't'effrayant !* »

On travaille comme des maudits fous pour gagner
quecque piasses; c'qu'on s'achète avec, c'est d'la
scrap. Ça s'peut-tu ?

> « *C't'effrayant !* »

C'est la vie 1977 [133]

QUAND TU CROIS PLUS AU PÈRE NOËL NI À LA FÉE DES ÉTOILES, QUAND TU RENTRES PLUS DANS LE PETIT TRAIN D'EATON OU DE DUPUIS, QUAND T'ES TROP GRAND POUR DES JOUETS, PIS QU'À NOËL TU REÇOIS UNE CRAVATE OU DES MOUCHOIRS... C'EST PLATE.

C'est la vie 1977 [134]

J'AI ENFIN CONNU LES JOIES DE LA PATERNITÉ.

C'EST ÉCŒURANT, SURTOUT QUE J'VOULAIS PAS D'ENFANTS ! CHUS PAS CAPABLE DE VOIR UN BÉBÉ EN PEINTURE, IMAGINEZ-VOUS UN VRAI !

La paternité 1979 [135]

J'M'EN DOUTAIS MÊME PAS QU'ON ÉTAIT ENCEINTES.

… Je l'ai appris parce que chus très perspicace. Un soir, j'étais après r'garder ma tévé, à passé d'vant pour aller s'assir.

J'AI EU COMME UN PRESSENTIMENT…

Y m'a semblé qu'à m'avait caché l'écran plus longtemps en passant. Fa qu'là, je l'ai r'gardée, j'ai faite un saut. Ça faisait cinq six mois qu'je l'avais pas r'gardée, ça avait pas adonné.

… J'ai crié :

> *« Es-tu folle, toé ? J't'ai dit que j'en voulais pas d'enfants ! »*

À dit :

> *« Fais c'que tu voudras, crie, meurs d'une crise d'apoplexie, ça m'dérange pas.*
>
> *Dans trois mois, tu vas être père pis c'est toute, ferme ta boîte ! »*

La paternité 1979 [136]

FA QUE J'PRENDS LA P'TITE, J'SORS D'LA CHAMBRE EN COURANT PIS SANS FAIRE EXPRÈS, POW ! J'Y ACCROCHE LA TÊTE SU L'CADRE DE PORTE.

Su l'coup, ça m'a faite d'la peine, mais après j'étais content : À CRIAIT PUS, ÉTAIT COMME TILTÉE.

… Un moment donné, j'ai trouvé un bon truc : après son boire de minuit, au lieu d'la coucher dans sa couchette, j'la couchais à terre pis j'bloquais la porte avec.

NON, MAIS C'TAIT COMMODE !

Vu qu'j'étais endormi, en pilant dessus « Aaah ! » Ça m'réveillait.

La paternité 1979 [137]

(LA PETITE)

Ma femme y a fait couper les cheveux. Non, mais t'sais, est pas si jolie. On aime mieux la peigner par en avant, ça paraît moins.

… ON L'SAVAIT QU'ÉTAIT ÉPAISSE MAIS ÇA, ÇA NOUS DÉRANGEAIT PAS.

On est plusieurs épais dans ma famille.

Non, ça nous fait rien, on s'arrange ben : on a un minisse, on a un prêtre, ça nous fait rien du tout.

La petite mentale 1979 [138]

LE LENDEMAIN, JE DEMANDAIS À MON FRÈRE LE PLUS VIEUX. Y AVAIT 16 ANS.

J'y dis :

> « *Pourrais-tu m'espliquer, en mots simples, pourquoi on a un père, à quoi ça sert ?* »

Y dit :

> « *Certainement : ça sert absolument à rien.* »

Ben j'y dis :

> « *Pourquoi on l'toffe ?* »

Y dit :

> « *C'est pas pour nous autres. Je pense que not' mère s'en sert.* »

Mon père 1979 [139]

Imaginez-vous donc que dans l'orphelinat, y a une salle spéciale pour les enfants, pour étudier, pour faire leurs devoirs, pour faire leurs leçons.

Et l'orphelinat fournissait gratuitement une sœur qui savait toutes les réponses.

J'ai dit :

> *« J'veux rester, moé ! »*

Mon père 1979 [140]

… SAVEZ-VOUS-TU C'QU'Y A DIT, LE PRÊTRE ? …

Y dit:

> *« Mes bien chers frères … »*

ÇA C'EST EN FRANÇAIS, NATURELLEMENT.

Y dit:

> *« Comme qu'il est écrit dans l'évangile d'aujourd'hui... »*

Là y s'met à parler en latin, y dit:

> *« You qua s'cache ta pitum, you squalé ta minum. »*

La religion 1981 [141]

« J'avais peur d'aller à l'école parce que
j'avais peur de pas passer mes examens,
j'voulais pas aller m'chercher d'ouvrage
parce que j'avais peur de pas m'trouver
d'job, j'voulais pus r'tourner chez nous
parce que j'avais peur de mon père… »

La peur 1981 [142]

« C'est vrai que d'un côté, j'ai lâché l'école
trop jeune, j'pourrai jamais être quelqu'un.
Mais peut-être qu'avec d'la chance, un jour
j'pourrais être quecque chose ! »

La peur 1981 [143]

… Y AVAIT UN AFFAIRE DE BON DANS MESSE DANS C'TEMPS-LÀ C'EST QUE C'ÉTAIT EN LATIN, ON COMPRENAIT RIEN.

ON POUVAIT S'IMAGINER QUE C'TAIT BEAU, TOUJOURS.

La religion 1981 [144]

Un dimanche, j'tais à messe, accoté su ma mère, j'somnolais un peu, le prêtre faisait son sermon...

> « *Y en a qui vont payer au jugement dernier, quand Dieu reviendra parmi nous.* »

J'me réveille, j'dis à mon père :

> « *Y va r'venir de y'où ? Y m'semble qu'y est partout !* »

Le prêtre continue, y dit :

> « *N'oubliez pas que seulement les justes seront assis à sa droite.* »

(...) J'y dis :

> « *Pouvez-vous nous espliquer à gang d'épais icitte, où est-ce que c'est la droite de partout ?* »

La religion 1981 [145]

Mais c'que j'comprends pas, c'est comment ça s'fait qu'la sainte Vierge a eu un p'tit gars sans rien faire pour pis ma mère, elle, à toute faite pour pas en avoir pis à en a eu 15 pareil ?

La religion 1981 [146]

NE PAS OUBLIER D'ÊTRE DRÔLE LE PLUS SOUVENT POSSIBLE

Note personnelle d'Yvon Deschamps 1979 [147]
En préparation d'un de ses spectacles les plus sombres.

Même mon plus vieux, l'autre jour, y dit : ...

> « *Popa, tu vieillis. Tu perds la mémoire.* »

J'ai sorti son examen d'histoire, y avait eu **43 %**, j'ai dit :

> « *Avec tout c'que t'as oublié là, tu dois avoir 200 ans, toé chose !* »

La mémoire II 1992 [149]

> « *Pis pépère, le dîner était-tu bon ?... Le dîner était-tu bon ?... Le manger, y était bon le manger ? En tout cas, y était beau, han ?... Beau manger sur votre chemise, han ? Belle couleur pour du manger, han ? C'est-tu la couleur que ça avait avant d'rentrer ou en r'sortant ?...* »

Les bénévoles 1992 [149]

Y dit :

> « *J'ai pas demandé de v'nir au monde !* »

Ben j'ai dit :

> « *Une chance que t'as pas demandé de v'nir au monde parce qu'avec la face que t'as, la réponse aurait été non !* »

Les adolescents (le grand tarla) 1992 [150]

Moé, des fois, j'rencontre du monde, y m'disent :

> « *Ah ! Vos enfants sont assez bien élevés !* »

> « *Ah oui ? Ben quand y sont chez vous, pouvez-vous faire une vidéo pis me l'envoyer parce que chez nous, y ont pas d'allure !* »

Les adolescents (le grand tarla) 1992 [151]

MOÉ, L'MIEN, ÇA Y A POGNÉ À 15 ANS. EILLE, LÀ TU SAIS PUS QUOI FAIRE AVEC ÇA !

TU PARLES À ÇA, C'EST PAREIL COMME PARLER AUX MURS. MÊME QUE C'EST PLUS L'FUN PARLER AUX MURS. TU SENS TA VOIX QUI R'VIENT TOUJOURS !

… EILLE, À QUATRE ANS, C'T'ENFANT-LÀ PARLAIT, Y MARCHAIT, Y S'LAVAIT, Y S'HABILLAIT TOUT SEUL !

LÀ, Y A 15 ANS : Y PARLE PUS, Y MARCHE PUS, Y S'LAVE PUS, Y PUE.

Les adolescents (le grand tarla) 1992 [152]

PIS Y MANGE !
Y MANGE, AH !

Y S'LÈVE DE TABLE APRÈS SOUPER, C'EST POUR ALLER VOIR SI Y RESTE QUECQUE CHOSE DANS L'FRIGIDAIRE.

AH, OUI !

C'T'ENFANT-LÀ A JUSSE UN BUT DANS LA VIE : VIDER LE FRIGIDAIRE !

Non, moé pis ma femme, on s'cache du manger en d'sour du lit, sans ça on mangerait jamais !

… J'ai dit à ma femme l'autre jour :

> *« Y mange pis y grogne pis y mange pis y grogne, des fois j'me demande si on s'rait pas mieux avec un gros chien. »*

Non, mais un gros chien ça mange pis ça grogne, mais au moins, quand tu y fais plaisir, y s'fait aller la queue !

EILLE, LUI, AVANT QU'Y S'FASSE ALLER QUECQUE CHOSE...

Les adolescents (le grand tarla) 1992 [153]

« *C'était plus facile dans notre temps, parce que nous n'avions rien.*

(...) C'était plus simple parce que comme nous n'avions rien, nous étions devant tout et comme nos enfants ont tout, ils se retrouvent devant rien. »

Les adolescents (le grand tarla) 1992 [154]

J'AI COMMENCÉ À TRAVAILLER À 13 ANS !

DÉBROUILLARD, LUI ?

SA CHAMBRE EST GRANDE COMME MA MAIN, Y A PAS RÉUSSI À TROUVER L'GARDE-ROBE ENCORE !

LE PANIER À LINGE SALE EST JUSSE À PORTE DE SA CHAMBRE, Y S'ENFARGE DEDANS 20 FOIS PAR JOUR, Y L'A JAMAIS VU !

Les adolescents (le grand tarla) 1992 [155]

Ma femme était partie avec une amie, magasiner pis manger ensemble, t'sais.

À dit :

> « *Tu vas garder l'grand, mais dis-y pas que tu l'gardes. Tu fais à semblant d'être là par hasard.* »

J'ai dit :

> « *O.K.* »

Ça fait que là, j'reste à maison.

Y était dans sa chambre, y faisait pas d'bruit, rien. D'un coup, j'ai pensé, y me l'avait dit que la veille, y avait eu un cours de sexologie.

Alors j'm'ai dit :

> « *Y doit être en train d'faire ses devoirs, t'sais…* »

Les adolescents (le grand tarla) 1992 [156]

EILLE, Y NOUS A TRAÎNÉ DANS FACE JUSQU'À 27 ANS !

Toués jours, j'y demandais quand est-ce qu'y partirait. Non non, moé j'sais vivre, moé. Chus parti d'chez nous à 16 ans !

J'AI LAISSÉ MES PARENTS TRANQUILLES, BON !

Les noms doubles 1992 [157]

... ON PEUT VOIR LE PAPA ET LA MAMAN DANS L'ENFANT.

T'sais, le papa donne c'qu'il a, la maman donne c'qu'à peut, han ? La maman donne l'intuition, le papa donne l'intelligence, tout ça !

... Ma femme à dit :

> *« Oui, c'est vrai. C'est lui qui a donné son intelligence aux enfants : moé, j'ai gardé la mienne. »*

Les noms doubles 1992 [158]

« Je veux que mes enfants portent les deux noms. »

VOYONS DONC, ÇA PAS D'ALLURE !

… Ça, ça veut dire que je vais avoir des p'tits-enfants qui vont porter quatre noms ! Pis si on les laisse faire, dans 25-30 ans, nos arrières-petits-enfants vont porter huit noms !

… Non, mais pensez-y, mesdames et messieurs. Si on les laisse faire les femmes, dans sept générations nos enfants vont porter 128 noms !

EILLE, 128 NOMS !
QU'EST-CE QU'Y VONT FAIRE À L'ÉCOLE ?

Au primaire y vont apprendre leur nom pis au secondaire, y vont apprendre à l'écrire ?

Non, mais 128 noms, imaginez-vous ça ? Tu rentres dans un party pis y a un épais qui s'met à t'présenter tout l'monde. T'es là pour la semaine !

Les noms doubles 1992 [159]

MAIS J'VAS VOUS DIR QUECQUE CHOSE, PEU ÊTRE QUE C'EST VRAI QU QUAND ON ÉTAIT P'TITS, LES PARENTS AVAIENT TROP D'ENFANTS.

MAIS AUJOURD'HUI,
LES ENFANTS ONT TROP D'PARENTS.

La famille 1994 [160]

J'AI UNE NIÈCE DE MÊME.

Ça, c'est un enfant, deux chars ou deux enfants, un char. T'as l'choix. Ma nièce a choisi un enfant deux chars.

Et là, y sont après c't'enfant-là du matin au soir, du soir au matin.

Eille, y avait pas quatre mois, aussitôt qu'y a ouvert les yeux dans son p'tit lit, était au-d'sus avec des photos, mettons d'un chat avec chat écrit en lettres attachées, en lettres majuscules, en lettres moulées.

Pis là, à y répétait :

> « *Chaaat !* »

Je l'aurais tuée.

> « *LÂCHE-LÉ ! Y A INQUE QUATRE MOIS ! VEUX-TU L'FUCKER À JAMAIS ?* »

La famille 1994 [161]

Mais y en a des plus jeunes pis eux autres y aimeraient ça faire comme leurs parents avaient faite dans l'temps, travailler un peu, quelques années.

La mondialisation [162]

« *Ma vieille tante de 96 ans, elle a tellement de plis, on sait pas si elle s'en va, si elle s'en vient, si elle est couchée, si elle est sur le côté... pis des fois y'a des plis qui bougent, là on tchèque : elle clignote-tu des yeux ou elle tète une paparmane ?* »

Les baby-boomers – Comment ça 2000 ? 2002 [163]

Ma nièce, sont 36 dans classe, 35 ethnies différentes.

Elle pleure tous les soirs :

> *« Je veux être ethnique. »*

Mon frère dit :

> *« Je suis quand même pas pour déménager en Afrique pour qu'elle soit ethnique. »*

J'ai dit :

> *« Va pas si loin, va t'en en Ontario. »*

Les ethnies – Comment ça 2000? 2002 [164]

> *« Mon cousin, il l'aime son père. Il aimerait ça avoir de la peine quand il va mourir. »*

Les baby-boomers – Comment ça 2000? 2002 [165]

« LES CHINOIS, J'EN AI ACHETÉ TOUTE MON ENFANCE, ILS ME LES ONT JAMAIS LIVRÉS ! »

Les Chinois – Spectacle Au septième ciel 2008 [166]

LA
FIERTÉ D'ÊTRE
QUÉBÉCOIS

Photographie extraite du film *Le p'tit vient vite* 1972, réal. Louis-Georges Carrier

Eille l'autre jour, mon boss y était allé en voyage, y essayait d'téléphôner pis y était pas capable.

Y avait d'la misère, ça faisait une demi-heure.

Finalement, y s'choque, y dit :

> *« Écoutez là, mademoiselle – y parle très autoritaire – écoutez, ça fait dix fois que j'demande le Québec. »*

Ben a dit :

> *« C'est pas d'ma faute, c'est toujours pas libre… »*

C'est extraordinaire 1968 [167]

« *C'est quand tu signes un traité de libre-échange que t'es pus libre !* »

Lors d'une réunion de production 2011 [168]

DANS VIE, Y'A DEUX CHOSES QUI COMPTENT :

UNE JOB STEADY PIS UN BON BOSS. (...)

NON, MAIS C'EST VRAI PAR EXEMPLE, QUAND TU Y PENSES, LES UNIONS, QU'OSSA DONNE ?

Les unions, qu'ossa donne ? 1968 [169]

À dit :

> « Monsieur, j'ai z'honte. J'ai z'honte, je n'en
> pleux pus, je suis t'à boutte. JE SUIS T'À
> BOUTTE ! J'ai z'honte d'être canadienne-
> française, laissez-moé vous l'dire. J'ai
> z'honte d'être canadienne-française pis
> c'est simple, m'as vous expliquer pourquoi,
> hein ?
>
> (...) C'est simple, euh... euh...
> les Canadiens français, y nous font
> z'honte parce qu'y sont pas capables de
> s'exprimer ! »

Tandis que les Français de France, oubliez-pas qu'y
a des Français en France qui parlent le français
universel depuis huit neuf cents ans !

Oubliez-le pas...

Sans arrêt ! ...

Le Canadien français, y est pas capable de parler
deux menutes, y est trop gêné pour ça ! Le Français
y peut parler pendant des heures, des jours, des
semaines, des années si on l'arrête pas. Y écoute
jamais, mais y parle par exemple ! Y est capable
de parler !

La honte 1970 [170]

ICITTE LA TÉLÉVISION, pour dire franchement, y font ça un peu n'importe comment, han ! Y essayent de varier, t'sais : y t'mettent un programme, y t'en mettent un autre un pas bon, un pire, un moins bon, t'sais, y varient.

Cable TV 1970 [171]

Les Français ont dit :

> « *Comme qu'on a pas d'job steady, pourquoi qu'on fait pas comme les autres qui ont pas d'job steady, pourquoi qu'on s'en va pas t'au Canada ?* »

Les autres ont dit :

> « *C't'une bonne idée que t'as là !* »

Histoire du Canada 1972 [172]

... QUAND QU'Y ONT VU LES SAUVAGES, (LES FRANÇAIS) LÀ Y ONT EU PEUR. MAIS SONTAIENT PAS FOUS, CES FRANÇAIS-LÀ !

Y se sont dit :

> *« Si nous autres on a peur en les woyant,*
> *si y s'woèraient… »*

Ça fait qu'y ont sorti des grands miroirs, y ont montré ça aux sauvages. Les sauvages ont eu assez peur, y steppaient haut d'même !

NON, mais ça c'est normal parce que ça fait toujours peur la première fois que tu te wois tel que t'es. **APRÈS TU T'HABITUES, MAIS ÇA PREND UN ESCOUSSE.**

Histoire du Canada 1972 [173]

Finalement, pour bien vous prouver que ces gens-là étaient bel et bien nos ancêtres à nous autres, en fin de compte y ont pas pris de décision eux autres mêmes.

Histoire du Canada 1972 [174]

ÉCOIS

... NOUS AUTRES LES CANADIENS FRANÇAIS, SI ON A UNE QUALITÉ, C'EST BEN CELLE D'AIMER TOUT L'MONDE.

ON HAÏT PAS PARSONNE. J'PARLE DU VRAI MONDE LÀ, PAS LES ANGLAIS !

NON ÇA, O.K., LES ANGLAIS, ON LES HAÏT.

ÇA C'EST CORRECT.

LES FRANÇAIS AUSSI.

BON. Peut-être que vous êtes pas capables d'haïr les Anglais parce que peut-être que vous vous imaginez que vous êtes chez vous dans province de Québec ? Quecque chose de même ? Non, ça s'peut !

TOUT L'MONDE A SON PROBLÈME, HAN ?

Histoire du Canada 1972 [175]

… NOUS AUTRES, LES CANAYENS FRANÇAIS, ON A PAS BEAUCOUP D'AMBITION, HAN ? ON PEUT MÊME DIRE QU'ON EN A PAS PANTOUTE…

NON, C'EST PAS VRAI.

J'EXAGÈRE TOUT L'TEMPS, PARCE QUE C'EST VRAI QU'UN CANAYEN FRANÇAIS A UNE AMBITION DANS VIE.

QU'OSSE QUE C'EST L'AMBITION D'UN CANAYEN FRANÇAIS ? L'AMBITION D'UN CANAYEN FRANÇAIS QU'OSSE QUE C'EST ?

AWOIR UN CHAR !

AUSSITÔT QU'UN CANAYEN FRANÇAIS A SON CHAR, C'EST FINI.

TOUTE EST PARFAIT, SA VIE EST FAITE.

Histoire du Canada 1972 [176]

… PEUT-ÊTRE QUE C'EST VRAI QUE LES ANGLAIS NOUS NUISENT PAS TOUT L'TEMPS, PEUT-ÊTRE QU'ON EST CAPABLES DE S'NUIRE TOUT SEULS DES GRANDS BOUTTES, MÊME QUE C'EST PROBABLEMENT C'QU'ON FAIT DE MIEUX.

Histoire du Canada 1972 [177]

MESDAMES ET MESSIEURS, ON VEUT FORCER LE DÉPORTÉ À PARLER LE FRANÇAIS OBLIGATOIRE.

Ces pauvres bougres, ces pauvres innocents qui nous arrivent, on veut les forcer à parler l'français obligatoire.

JE DIS QU'ÇA PAS D'ALLURE, Y SONT PAS ASSEZ BRIGHTS POUR ÇA.

Le bill 22 1973 [178]

… Je suis sûr que le monde ordinaire aime mieux qu'ça reste comme que c'est, qu'y aimerait pas ça qu'ça change même si c'est pour quecque chose de semblablement pareil.

Le bill 22 1973 [179]

J'espère que pour les jeunes, les Olympiques vont être un exemple. **UN EXEMPLE DE DISCIPLINE.** C'est pas si cher que ça un milliard pour un stade.

… Car grâce aux disciplines des Olympiques, nos jeunes auront un exemple à suivre.

CAR GRÂCE AUX OLYMPIQUES, NOUS POURRONS COURIR… APRÈS L'FINANCEMENT; LANCER… NOTRE ARGENT PAR LES FENÊTRES; SAUTER… LA BARRIÈRE DU RIDICULE; PÉDALER… DANS MARDE ET NAGER… DANS LES DETTES !

Vive les Jeux olympiques 1975 [180]

... C'TAIT DES FRÈRES QUI T'NAIENT ÇA.

Non, c'tait l'genre de frères qui avaient toujours deux battes cachés dans leur soutane : un p'tit pis un gros.

SI TU JOUAIS PAS AVEC LE P'TIT,

Y T'FRAPPAIENT AVEC LE GROS.

J'veux être un homme 1977 [181]

NON, MAIS MOÉ J'AI ÉTÉ ÉLEVÉ DANS L'TEMPS DE DUPLESSIS :

ON ÉTAIT PAS NOMBREUX À VOTER, MAIS ON VOTAIT SOUVENT, T'SAIS !

La fierté d'être Québécois 1977 [182]

Si t'enlèves les 20 % d'Anglais, les 10 % d'émigrés, les 30 % d'bandits pis les 20 % d'crottés, on est inque une p'tite gang !

Moé je l'sais, c'est ma gang à moé. Nous autres, on est des vrais. Vous devriez nous voir le soir, su not' terrasse toute la gang t'sais, on prend un coup…

La fierté d'être Québécois 1977 [183]

EILLE, LÈVE-TOÉ !

Penses-tu que t'es Québécois parce que t'es capable de parler français ?

Fred Enke :

« Euh, oui. »

Lui :

« T'es pas Québécois parce que tu parles français, chose ! Moé j'sais compter, chus-tu comptable ? »

La fierté d'être Québécois 1977 [184]

… UN VRAI QUÉBÉCOIS, C'EST TANNÉ EN TABARNOUCHE.

LE VRAI QUÉBÉCOIS, Y EST TANNÉ D'VOIR QUE LES GOUVARNEMENTS SE SONT SUCCÉDÉ SANS PRENDRE LEURS RESPONSABILITÉS.

La fierté d'être Québécois 1977 [185]

… LE VRAI QUÉBÉCOIS,

qu'est-ce qu'y veut ? Y veut avoir les garderies gratisses, les maternelles gratisses, l'école gratisse, les universités gratisses, les docteurs gratisses, la pital gratisse, les dentisses gratisses, les loisirs gratisses et les revenus garantis gratisses.

LE VRAI QUÉBÉCOIS veut ça, mais à une condition : que le gouvarnement mette jamais l'nez dans ses affaires ou qu'y augmente pas ses impôts.

La fierté d'être Québécois 1977 [186]

UN VRAI QUÉBÉCOIS,
C'T'UN COMMUNISSE DE CŒUR, C'T'UN SÔCIALISSE D'ESPRIT PIS C'T'UN CAPITALISSE DE POCHE.

La fierté d'être Québécois 1977 [187]

… PARCE QUE LE VRAI QUÉBÉCOIS SAIT QU'EST-CE QU'Y VEUT. PIS QU'EST-CE QU'Y VEUT, C'T'UN **QUÉBEC INDÉPENDANT** DANS UN **CANADA FORT.**

La fierté d'être Québécois 1977 [188]

… NOUS AUTRES, LES QUÉBÉCOIS, QUAND UN QUÉBÉCOIS RÉUSSIT, ON EST TOUTES EN ARRIÈRE… PRÊTES À L'ÉCRASER LE PLUS VITE POSSIBLE !

La fierté d'être Québécois 1977 [189]

MOÉ, « ACHETER AU QUÉBEC, ÇA FAIT VIVRE DES QUÉBÉCOIS », J'TROUVE ÇA QUÉTAINE.

MOÉ CHUS FIER, C'EST ASSEZ.

… ÇA NOUS A PRIS 300 ANS POUR ÊTRE FIERS, QU'Y NOUS DONNENT UN BREAK ! DANS 300 ANS, ON FERA PEUT-ÊTRE D'AUTRES CHOSES.

La fierté d'être Québécois 1977 [190]

PAPA C'EST SIMPLE A DIRE, PAPA ÇA FAIT SOURIRE

Mais quand c'est à toi qu'on le dit, t'as des envies de dire merci.

Pour une chanson 1977 [191]

L'AUTRE ÉPAIS, AU FÉDÉRAL,

Y FAIT LA TPS PARCE QU'Y TROUVAIT QU'LE DÉFICIT ÉTAIT TROP GRAND.

Y A TRIPLÉ L'DÉFICIT AVEC SA MAUDITE TPS ! Y A MIS L'CANADA À TERRE !

L'AUTRE TARLA À QUÉBEC, Y DIT :

> *« On laissera certainement pas les gens d'Ottawa mettre le Québec à terre, on va l'faire nous autres mêmes ! »*

Y A FAITE LA TVQ. Y SONT D'MÈCHE EN MAUDIT.

U.S. qu'on s'en va? 1992 [192]

Mais nos jeunes, eux autres, y ont besoin de vision. Je r'garde nos jeunes, des fois…

Pas trop longtemps parce que ça m'écœure, mais…

Je r'garde nos jeunes, des fois, pis j'me dis :

> *« Ces enfants-là, y vont avoir quoi dans 25 ans ? Est-ce qu'y va rester d'l'air à respirer ? Est-ce qu'y va rester de l'eau à boire ? »*

O.K., y veulent pas boire d'eau, mais quand même, ça prend d'la bonne eau pour faire d'la bière !

U.S. qu'on s'en va? 1992 [193]

C'est pas des chefs d'État qu'on a.
NON NON NON, C'EST DES CHEFS DE CUISINE.

C'est pas d'la politique qu'y font.
NON, NON, NON, NON, NON, ÇA R'SSEMBLE À D'LA
POUTINE.

U.S. qu'on s'en va? 1992 [194]

EST-CE QU'Y EN A ICI QUI R'GARDENT LA TÉLÉVISION ?

OUI ?

BEN Y A DU TWIT DANS PLACE.

La télévision 1994 [195]

PIS LA SEMAINE D'APRÈS,

j'ai pogné le téléthon Jean Lapointe.

Là, c'est encore l'affaire des alcooliques. Et là, y nous r'gardent en pleine face, pis y nous disent :

> *« Il faut nous aider, les amis ! »*

> … *« J'vas m'occuper des infirmes, j'vas aider l'monde qui a pas de main, qui a pas d'pied, qui a pas d'tête ! Mais j'me casserai pas pour quelqu'un qui a pas de volonté ! »*

La télévision 1994 [196]

... J'TROUVE QUE NOUS AUTRES, AU QUÉBEC, ON EST TROP HUMBLES.

On a peur de dire qu'on est les meilleurs au monde pis les plus grands au monde. R'gardez les Américains ! Y ont-tu peur ?

EILLE, y jouent au baseball : la Ligue américaine, la Ligue nationale, tu peux pas avoir plus local que ça ! Y ont deux équipes en loyer au Canada, bon, mais c'est des équipes américaines pareil.

Quand y font la série, c'est-tu la série pour les États, c'est-tu la série américaine ?

NON : C'EST LA SÉRIE MONDIALE !

La famille 1994 [197]

*« Non ! Y aura jamais un système de santé
à deux vitesses parce que d'ici cinq ou six
ans, y en aura pus d'système de santé ! »*

Et là, elle a espliqué comment ça s'passerait. On va aller à pital comme quand on va à l'hôtel. On va payer la chambre, on va payer pour le lavage des draps, on va payer pour la nourriture.

EILLE, payer pour d'la nourriture d'hôpital, faut être malade en crime ! Pis là, y a des docteurs, de temps en temps, qui vont s'promener. Pis si on peut en accrocher un, peut-être qu'y va nous soigner.

PARCE QUE LE GOUVERNEMENT AURA PUS D'ARGENT.

La télévision 1994 [198]

… LE MONDE À MONTRÉAL, on aime ça v'nir en région.

ÇARTAIN ! Parce que ça nous permet de voir toutes toutes toutes les affaires là… que vous avez pas.

Les régions 1994 [199]

En 77...

Le psychiatre qui dit :

> *« Je suis fier d'être Québécois. Je suis fier de dire que nous sommes les premiers à passer une loi pour défendre le français. »*

VOYONS DONC !

En 76... J'ai dit à ma femme, y'est malade, ou bedon y'est ignorant, y'a jamais voyagé quoi. Voyons donc qu'il se promène un peu ! Toutes les provinces canadiennes où y'a des minorités francophones, ça fait longtemps qu'ils ont passé des lois pour défendre le français. C'est défendu de parler français partout au Canada, là.

Les baby-boomers – Comment ça 2000? 2002 [200]

> « Là c'est des ethniques de par ci, de par là, pis ça arrive de pays qu'on sait pas les noms, ça parle des langues qu'on veut rien savoir, ça s'habille pour qu'on rit d'eux autres. Y'arrivent avec des us et coutumes. »

HEY...

... RESPECTEZ MES US ET COUTUMES, JE SUIS ETHNIQUE.

J'ai dit à ma femme :

> « Hey, je les truste pas eux-autres. Si on allait tchéquer dans leur pays, peut-être qu'avant de partir, y'étaient pas ethniques du tout. »

Les ethnies – Comment ça 2000? 2002 [201]

Avez-vous un budget pour nous faire une route pour notre nouvel aéroport ?

Le ministre dit :

> « Oui !... mais pas jusqu'à l'aéroport. On va essayer de se rendre à la 640. Ça va donner une idée au monde, c'est par là. Après, ils demanderont au monde dans les petits chemins, c'est pas compliqué. Ils vont être proche, ils vont voir les avions.
>
> Fait qu'ils ont fait leur aéroport, la première chose qu'ils ont faite, ils ont exproprié 100 milles acres de terre, ils ont mis des milliers de familles dans la rue.
>
> Eux autres, y'étaient dans le champ, y les ont mis dans la rue. »

Mirabel – Judi et Yvon font une scène 2006 [202]

MONTRÉAL A PERDU 50 % DE SON TRAFIC AÉRIEN ET DES DIZAINES DE MILLIARDS À SON ÉCONOMIE. ET ÇA A PRIS 25 ANS AVANT QU'IL Y EN AYE QUI SE RÉVEILLENT :

« Hey pour moi, c'est pas bon deux aéroports. On devrait en fermer un. »

Y'ONT PAS FERMÉ LE BON !

QU'Y AYE PUS JAMAIS PERSONNE AU QUÉBEC QUI VIENNE ME DIRE :

« On est pas plus épais que les autres ».

OUI, ON EST PLUS ÉPAIS QUE LES AUTRES !

Mirabel – Judi et Yvon font une scène 2006 [203]

AIMONS-NOUS
QUAND MÊME

« Viens voir, y'a un scientifique à la télévision !

Qu'est-ce qu'il fait là ? On manque-tu d'humoristes ? »

La fin du monde – **Comment ça 2000?** 2002 [204]

SI C'EST VRAI QU'DEUX TÊTES VALENT MIEUX QU'UNE...

À DIX MILLE, ON DÉCROCHE LA LUNE...

C'est ben normal (chanson) 1968 [205]

Quand on vient au monde, on est toutes pareils, on est toutes de la même couleur :

VIOLETTE...

Nigger Black 1968 [206]

(LA GUERRE)

MAIS DANS 10-15 ANS, ÇA VA ÊTRE AUTOMATIQUE !

ON IRA PUS !

Ben non, on va rester chez nous, on va s'bercer, c'est la guerre qui va s'promener tout seule !

C'est extraordinaire 1968 [207]

(LE P'TIT)

J'y dis :

> « *Habille-toé, popa va t'montrer de y'où*
> *c'qu'y restait quand y était p'tit.* »

… J'arrive là, y avait pus d'maison, y avait pus rien. Un grand champ vide. Eille, c't'extraordinaire aujourd'hui comment y vont vite pour démolir les vieilles cabanes. Pis à place y font des grosses bâtisses en ciment (…).

C'EST SÛR QUE ÇA COÛTE CHER RESTER LÀ.

Mais les gars qui bâtissent ça, faut ben qu'y fassent d'l'argent si y veulent acheter d'autres vieilles cabanes, les jeter à terre pis bâtir des grosses bâtisses comme ça.

ÇA C'EST NORMAL, HAN ?

C'est extraordinaire 1968 [208]

Le boss est arrivé, y s'est mis à nous chicaner : une vraie belle journée ! Le boss chicanait, on faisait semblant d'avoir peur, toute était normal.

J'avais toute oublié mes problèmes. C't'à c'moment-là qu'y a un écœurant qui a répond au boss ! Pis bête à part de t'ça, han ! Le boss s'est crispé d'même, y est v'nu rouge.

… Moé j'ai pas été capable de me r'tenir, j'ai dit au gars :

> *« Es-tu fou toé, es-tu fou toé ? Es-tu malade*
> *dans tête ? Répondre au boss ! T'as pas*
> *honte, toé ? »*

Y dit :

> *« Pourquoi j'me gênerais, c'pas l'bon*
> *Dieu. »*

… Fa qu'là le boss s'est l'vé d'une raideur, y dit :

> *« Les gars, U.S. qu'on s'en va ? U.S. que s'en*
> *va l'monde si n'importe quel pouilleux peut*
> *répondre au boss ? »*

La honte 1970 [209]

Jésus y dit :

> « Qu'est-ce que vous avez compris ? »

Y dit :

> « Han ? Qu'est-ce que… Explique-lui,
> toé… T'as pas compris ? Ben dis pas
> que t'as compris. Vous êtes mieux d'y
> rexpliquer, y a rien compris. »

Notre Seigneur y dit :

> « C'est pourtant simple ! J'vas vous laisser
> jusse un message. C'est l'plus beau, le plus
> vrai, le plus doux : aimez-vous les uns les
> autres. »

Y en a un y dit :

> « Vous êtes sûr qu'on a l'droit ? »

Non, mais la loi était pas passée, rien...

Notre Seigneur y dit :

> « C'pas ça j'veux dire ! J'veux dire que les affaires d'œil pour œil, dent pour dent, faut oublier ça. Si vous voulez être capables de faire une révolution en profondeur, y a jusse une façon que vous allez y arriver, c'est par l'amour. Y faut qu'vous soyez capables d'aimer tout l'monde. »

Les gars ont dit :

> « On veut ben essayer, mais y en a trois quatre qu'on haït, on peut pas les garder, ceux-là ? »

Le p'tit Jésus 1970 [210]

> *« On vient vous enseigner la religion*
> *d'amour, vous comprenez pas ça ? »*

Les autres étaient tellement durs de comprenure, ça leur a pris 2000 ans pour les convaincre. A fallu qu'y en massacrent les trois quarts ! Y ont été obligés d'les brûler, les tirer, les écarteler…

> *« VOUS COMPRENDREZ JAMAIS ÇA,*
> *L'AMOUR ? LA RELIGION D'AMOUR ? »*

Le p'tit Jésus 1970 [211]

PARCE QU'AUX ÉTATS, Y A TELLEMENT DES BONNES NOUVELLES PAR LÀ ! AH, C'EST VARIÉ COMME NOUVELLES, JAMAIS DEUX MEURTRES FAITES PAREILS, 49-50 ACCIDENTS PAR JOUR, LES TREMBLEMENTS D'TERRE, LES FEUX, C'T'ASSEZ L'FUN DE VOIR ÇA !

Quand tu vois ces nouvelles-là pendant trois semaines pis après tu r'viens à nos nouvelles à nous autres, on dirait qu'les gars qui écrivent nos nouvelles ont pas d'imagination.

… ON EST-TU SI ÉPAIS QU'ÇA NOUS AUTRES ? ON EST PAS CAPABLES D'EN FAIRE, DES BELLES ACCIDENTS ?

Cable TV 1970 [212]

Tu dépenses des centaines de piasses pour t'acheter une télévision pis quand l'heure des nouvelles arrive, le grand tarla arrive avec.

Là, y dit :

> « *Mesdames, messieurs, on va vous expliquer c'qui est arrivé dans journée, bla-bla-bla…* »

COMME SI ON VOULAIT L'SAVOIR !

On veut pas l'sawoère qu'osse qu'est arrivé :

ON VEUT LE WOÈRE !

Cable TV 1970 [213]

LE GRAND TARLA ARRIVE.
LUI Y EST CONTENT !

> *« Ouh ! Une belle grosse hospice qui a brûlé, ah ! ah ! ah ! Quarante-huit morts, ah ! ah ! ah ! »*

Y nous l'ont pas montré, crime. Ben, y nous l'ont montré : y restait trois quatre braises, les ambulances s'en allaient. C't'intéressant ça encore ? C'est nos vieux à nous autres qu'y avait dans ça. On les a pas toffés jusqu'à c't'âge-là pour pas avoir le droit d'les voir brûler un p'tit peu avant qui partent.

AUX ÉTATS-UNIS Y ONT COMPRIS ÇA.
Quand y a un feu d'importance, y avertissent : la télévision arrive avant que l'feu pogne. Y s'installent pis y te l'montrent, crime !

Cable TV 1970 [214]

C'EST UNE PETITE CHOSE QUI EST ARRIVÉE À L'USINE, IL Y A QUELQUES MOIS.

Un de mes innocents d'ouvriers, probablement mon plus innocent – ça fait 22 ans qu'il travaille pour moi, il faut qu'il soit innocent – il travaille sur une presse depuis 22 ans et puis tout à coup, je ne sais pas pourquoi, il se rentre la main dans la presse et se broie la main jusqu'au poignet.

FAUT ÊTRE INNOCENT, MESDAMES ET MESSIEURS !

Heureusement, j'étais là. Alors je lui mis l'autre tout d'suite. Pas par méchanceté! J'entends des réactions d'ignorants, pour ne pas dire d'ignares !

J'AI FAIT ÇA PAR EFFICACITÉ, POUR LUI AIDER À LUI ! PARCE QUAND C'EST DÉFINITIF, L'ASSURANCE RÈGLE PLUS VITE.

La manipulation 1979 [228]

Y M'ONT ENVOYÉ À L'ÉCOLE DE RÉFORME.

LES JEUNES AUJOURD'HUI Y CONNAISSENT PAS ÇA LES ÉCOLES DE RÉFORME, Y EN A PUS, C'EST DES CÉGEPS ASTHEURE.

J'veux être un homme 1977 [227]

… J'ÉTAIS UN PRIVILÉGIÉ !

Oui, j'étais un privilégié parce que les prisons coûtent une fortune aux contribuables. Tout l'monde paye pour ça, mais combien en profitent ? Une infime minorité, dont j'étais.

> *« Bienheureux les prisonniers à vie, car les premiers rentrés sont les derniers sortis ! »*

Le positif 1975 [225]

> *« Ha ha ha ha ha ha ha ! »*

Un des 1 837 101 rires d'Yvon Deschamps en carrière ! 2002 [226]

Lors de son grand retour sur scène avec Comment ça 2000?

**SE PEUT-IL QUE CE SOIT FINI
QUE TOUT NE SOIT QUE SOUVENIRS ?
SE PEUT-IL QU'AU SEUIL DE NOS VIES
IL NE NOUS RESTE QU'À VIEILLIR ?**

J'ai l'impression 1973 [223]

**PARCE QUE DIEU EST INFINIMENT INTELLIGENT,
C'EST LE SEUL ÊTRE QUI A COMPRIS QUE SIX JOURS
D'OUVRAGE DANS UNE VIE, C'T'ASSEZ. Y A TRAVAILLÉ
SIX JOURS, Y A PRIS L'ÉTERNITÉ D'VACANCES.**

**ESSAYEZ D'AVOIR ÇA DANS UNE
CONVENTION COLLECTIVE, VOUS
L'AUREZ PAS C'T'ANNÉE ENTÉCAS !**

L'histoire sainte/La création 1975 [224]

C'EST EFFRAYANT DES FOIS COMME QUE LA MORT FRAPPE VITE. DES FOIS, À FRAPPE TELLEMENT VITE, ON A PAS L'TEMPS D'LA VOIR V'NIR.

… C'est pas des farces, deux menutes avant d'mourir y était encore en vie !

… Y a faite deux ou trois pas pis c'est là qu'la mort l'a pogné, pis à l'a sacré à terre. Lui, quand y s'est vu tomber, y est v'nu pour s'accrocher à la vie, mais était déjà partie.

FA QU'Y S'EST ÉFFOIRÉ SU L'PIANO.

La mort du boss 1973 [221]

(LA MORT DU BOSS)

« C'est not' boss, ça s'rait normal qu'on l'accompagne à sa dernière demeure. »

Fa qu'y dit :

« Vous allez l'accompagner… en pensée. Vous allez être là en pensée. Même que vous allez tellement être là en pensée que tout l'monde vont penser qu'vous êtes là. »

La mort du boss 1973 [222]

LA PLUS GRANDE

QUALITÉ QU'UNE PERSONNE PUISSE AVOIR, C'EST SON POTENTIEL À ÊTRE BIEN DANS LA VIE.

En entrevue 2005 [219]

Si une parsonne veut être **LIBE-LIBE-LIBE**, y faut pas que les autres le soyent.

BEN NON, SI TOUT L'MONDE EST LIBE-LIBE-LIBE, Y A PUS PARSONNE QUI L'EST.

La liberté 1973 [220]

LA GUERRE, T'AS PAS L'CHOIX :

tu la fais ou bedon tu l'as. Bon. T'es ben mieux d'la faire. Parce que si tu la fais, tu la fais n'importé y'où. Si t'attends d'l'avoir, t'es pogné avec chez vous.

ÇA TOMBE DANS TES VACANCES, ÇA CASSE UNE VACANCE EN CRIME ÇA !

Cable TV 1970 [215]

QU'OSSÉ QU'VOUS PENSEZ QU'ÇA VA FAIRE À NOS JEUNES DE VOIR DES VIEILLES MAUDITES VUES D'GUERRE PLATES DE MÊME, HAN ?

Ben m'as vous l'dire qu'ossé qu'ça va leur faire : toute qu'osse qu'on va arriver à faire, on va finir par écœurer nos jeunes d'la guerre !

Y A-TU DES JEUNES ICITTE ? OUI ?

VOULEZ-VOUS ALLER À GUERRE ? NON ?

TINS, Y SONT DÉJÀ ÉCŒURÉS.

Cable TV 1970 [216]

« *Soldats, aujourd'hui, y va falloir prendre un gros village* d'assaut.* »

Les gars y disent :

« *Comment gros ?* »

Y dit :

« *Au moins 250 personnes.* »

Les gars disent :

« *On va-tu au moins avoir du renfort ?* »

Le Général dit :

« *Non, les 40 000 autres sont su un village de 300 dans l'moment.* »

Les gars ont dit :

> « *Vous nous envoyez t'à une mort certaine !* »

Y dit :

> « *Non, c'est pour ça qu'y faut attaquer t'aujourd'hui : on a appris qu'les hommes étaient partis. Mais watchez-vous, paraît qu'les femmes pis les enfants sont ben roughs !* »

Les gars, su l'coup, y ont shaké un peu t'sais, mais après y ont dit :

> « *Pour vous, Général, pour vous et pour notre pays, on va le faire.* »

Cable TV 1970 [217]

* Référence au village My Lai dévasté par les GI américains lors de la guerre du Vietnam.

LA GUERRE DU DIMANCHE C'EST LA MEILLEURE ÇA.

NON, MAIS LÀ Y T'AMÈNENT PARTOUT : LE MIETNAM, LE CAMBÔDGE, LE LAÔS, LE TIBETTE, ENVOYE, ÇA S'PROMÈNE ! C'T'INTÉRESSANT PARCE QUE TU VOIS COMMENT QU'LE MONDE VIT LÀ-BAS, PIS TOUTE ÇA. BEN, TU VOIS PLUSSE COMMENT C'QUI MEURENT, MAIS QUAND MÊME…

NON, MAIS DES FOIS, TU POGNES DES P'TITS BOUTS D'VIE, T'SAIS, UN GARS QUI COURT PIS BOUM !

ENTÉCAS.

Cable TV 1970 [218]

C'est là qu'j'ai compris comment ça que l'monde était si abruti. **C'EST D'LA FAUTE À TÉLÉVISION !**

La télévision, y devraient appeler ça :

« *Comment devenir zombi en 72 téléromans.* »

DEPUIS QUE L'MONDE A LA TÉLÉVISION, L'MONDE ÉCOUTE PUS, Y R'GARDE !

La manipulation 1979 [229]

... LE MONDE SE REND PAS COMPTE DES DANGERS QUI NOUS MENACENT.

Savez-tu le plus gros danger qui nous menace ? La calotte polaire peut glisser ! Ça pas l'air à vous impressionner pantoute !

... Pis si la calotte nous fond en deux heures, on est toutes dans l'eau jusqu'à calotte !

Vous là-bas, au lieu d'rire, dites-nous donc combien d'temps vous êtes capable de flotter avant d'caler, han ?

Les dangers 1981 [230]

QU'EST-CE QUE C'EST NOTRE SOCIÉTÉ D'AUJOURD'HUI ?

LA PRODUCTION D'MASSE, N'IMPORTE QUOI, FAITE VITE, TOUT CROCHE, ENVOYE DONC.

ÇA CASSE ?

LE MONDE EN ACHÈTERONT D'AUTRES.

Les dangers 1981 [231]

EILLE, MOÉ, QUAND J'ÉTAIS P'TIT GARS, ON AVAIT DES VOLEURS PROFESSIONNELS; ASTHEURE, ON A DES PROFESSIONNELS VOLEURS !

C'T'UN GROS CHANGEMENT !

Les dangers 1981 [232]

Y a 2000 ans, y a un homme qu'y est v'nu su'a Terre, y a dit :

« Aimons-nous les uns les autres. »

Mais l'monde a pogné c't'idée-là pis y ont fait 700 ans d'croisades, 400 ans d'inquisition, à peu près 15 millions d'morts pis d'torturés avec ça.

Pis ça, c'est des papes pis des cardinaux qu'y ont faite ça !

IMAGINEZ-VOUS C'QUE L'MONDE ORDINAIRE EST CAPABLE FAIRE...

La religion 1981 [233]

Y a 150 ans à peu près, y a un autre gars qui est v'nu su'a Terre qui avait une aussi bonne idée, ça s'appelait le communisme.

Ça aussi ça veut dire « AIMONS-NOUS LES UNS LES AUTRES », ça veut dire que tout l'monde est égal, ça veut dire que y a pas parsonne qu'y a l'droit de tout garder pis rien laisser aux autres.

… PIS EN RUSSIE, SAVEZ-TU C'QU'Y ONT FAITE AVEC ÇA ? SAVEZ-TU C'QU'Y ONT FAITE ?

Quarante millions d'morts ! Quarante millions d'morts pis c'est 200 000 personnes qui en contrôlent 200 millions pis les 200 millions ont pas l'droit de rien avoir pis de rien faire.

La religion 1981 [234]

J't'allé voir le curé, j'ai dit :

> « *Eille, c'est-tu une impression qu'j'ai, mais y m'semble que depuis quecques années, les papes, ça parle de sexe !* »

Y dit :

> « *C'est une impression : c'est pas depuis quecques années, c'est depuis toujours.* »
>
> ... « *Le sexe, c'est la base de la religion. Ben, pas le sexe : l'absence de sexe. C'est ça toute l'idée ! Ça, ça commencé sans qu'y aye rien, vois-tu ?* »
>
> ... « *Le p'tit Jésus, y est v'nu sans qu'son père vienne.* »

Y dit :

> « *Vois-tu, c'est là l'idée, c'est que toute s'est faite sans qu'ça arrive.* »

La religion 1981 [235]

« Où est Dieu ? »

*« Han ? J'sais pas moé, sœur, je l'ai pas vu.
Si y est en r'tard, sa mère va y donner un
billet çartain, ayez pas peur. »*

… Eille, y a une sœur, à m'a pogné, j'sortais des
toilettes, j'ouvre la porte.

À dit :

« Où est Dieu ? »

J'ai dit :

*« Escusez, j'pense que j'l'ai flushé, je l'sais
pas moé ! »*

À dit :

« Dieu est partout ! »

J'ai dit :

« Ben, y en a un p'tit boutte de parti…. »

… *« Dieu est partout. »*

… J'cherchais des places pour être sûr qui soye
là, t'sais ! Quand j'ai connu les p'tites filles, par
exemple, j'te… j'te… hof… j'te… f…

Les p'tites filles voulaient pas. Dieu est là après
toute, j'vas aller voir, bon ! Si y est là, c'est parce
que c'est pas péché, bon !

La religion 1981 [236]

« *On sait c'qui s'passe à Tombouctou,* »
mais on sait pas si notre voisin a faim... »

Documentaire Aimons-nous 2004 [237]

**L'AUTRE JOUR, LE PROFESSEUR NOUS A
AMENÉS À LA REGARDÉCOUTATHÈQUE
VOIR DES DOCUMENTS IDIOVISUELS
SUR LES CIVILISATIONS (...)**

Le XXVe siècle 1983 [238]

ON DIRAIT QUE DEPUIS QU'LA TAPETTE EST LÉGALE, A PERDU LES PÉDALES !

Avant d'être légale, la tapette se contentait de p'tites jobs obscures ou d'entrer en congrégation…

Pis là aujourd'hui, la tapette à veut s'immiscer dans toutes les sphères d'la société. La tapette veut être police, la tapette veut être minisse.

… OUI, MESDAMES ET MESSIEURS, Y À D'LA TAPETTE ENSEIGNANTE !

Vous allez m'dire, ça c'est pas nouveau, y en avait dans notre temps. C'est vrai qu'y en avait dans not'temps, mais dans not' temps, y avaient la décence de porter des robes et de s'faire appeler frère !

AU MOINS, ON SAVAIT À QUI ON AVAIT AFFAIRE ! LÀ, Y SONT DÉGUISÉS EN MONDE, ON LES R'CONNAÎT PUS !

Les tapettes 1983 [239]

AU XXᵉ SIÈCLE, SAVEZ-VOUS QU'EST-CE QU'Y FAISAIENT, COMMENT QU'Y ÉTAIENT BIZARRES AU XXᵉ SIÈCLE ?

Y TRAVAILLAIENT !

EILLE, Y FAUT ÊTRE MALADE EN S'Y VOUS PLAÎT !

Y travaillaient comme des fous, ça les stressait tellement, ça les énarvait tellement, ça les usait.

En faite, dans cinquantaine, ça s'mettait à faire des infarctus, des embolies, des thromboses…

> « *Si ça les tuait, pourquoi qu'y travaillaient ?* »

Y dit :

> « *Pour pouvoir arrêter d'travailler.* »

J'y dis :

> « *Peut-être qu'y auraient été mieux de pas commencer ?* »

Y dit :

> « *Dans l'fond, oui. Mais y savaient pas parce qu'au XXᵉ siècle, y étaient pas très évolués encore, vous savez ?* »

Le XXVᵉ siècle 1983 [240]

NON NON !

Le monde produisait, c'est très différent ! Et qu'est-ce qu'y produisait ? Des affaires pour se tuer.

… Et pis même la science avançait, ça guérissait des maladies, fa que l'monde produisait d'la pollution pour avoir des nouvelles maladies qu'la science pourrait guérir…

Le XXVᵉ siècle 1983 [241]

… Chaque fois qu'on demandait au monde pourquoi y voyageaient, le monde répondaient tout l'temps :

« Ça change le mal de place. »

Alors le monde savaient qu'y changaient l'mal de place et pis y l'faisaient pareil.

Y ALLAIENT PORTER LE MAL PARTOUT SUR LA TERRE.

Le XXVᵉ siècle 1983 [242]

AU XXᵉ SIÈCLE, y fallait avoir d'l'argent pour manger pis au XXᵉ siècle, y avait 5 à 10 millions d'personnes qui mourraient d'faim chaque année.

Alors qu'est-ce qu'on peut penser d'une civilisation qui aimait mieux dépenser des milliards de dollars pour aller porter trois cochonneries su'a Lune, plutôt que de nourrir les millions d'personnes qui mouraient de faim ?

C'EST GRAVE, VOUS SAVEZ ! C'EST GRAVE !

Le XXVᵉ siècle 1983 [243]

… « SI VOUS VOULEZ VOUS RAPPELER LA SYNTHÈSE DE CETTE CIVILISATION-LÀ, C'EST SIMPLE : C'ÉTAIT DES GENS QUI NE PENSAIENT PAS MAIS QUI, PAR CONTRE, ÉTAIENT PRÊTES À TUER TOUTES CEUSES QUI PENSAIENT PAS COMME EUX AUTRES. »

Le XXVᵉ siècle 1983 [244]

... « C'est grave ! C'est difficile à comprendre à part de t'ça ! Parce que dans c'temps-là, le monde y s'pensait smatte. Même en faite, y étaient divisés en deux groupes de smattes : y avait les Smattofs pis les Smattriches. Les Smattofs, eux autres, y s'armaient pour conquérir le monde pis les Smattriches y s'armaient pour le garder. »

... « Énarvez-vous pas, y a pas de danger ! Plusse y va y avoir d'ogives nucléaires, moins y a de danger de guerre. »

AH ! AH ! AH !

T'sais, c'est comme si j'disais au monde :

« Voyons l'monde, énarvez-vous pas ! Plusse y va avoir de bière, moins on va être saouls ! »

Le XXVe siècle 1983 [245]

EN 1975,
LE MONDE LISAIT PIS
COMPTAIT PIS ÉCRIVAIT !

C'EST QU'AU DÉBUT DES ANNÉES 80, Y ONT RENTRÉ LES P'TITES CALCULATRICES DINS ÉCOLES, LÀ LE MONDE A ARRÊTÉ D'SAVOIR COMPTER.

APRÈS ÇA, Y ONT RENTRÉ DES ÉCRANS CATHODIQUES, LES VIDÉOS :

LE MONDE A ARRÊTÉ D'LIRE PIS ÉCRIRE.

L'aïeul 1983 [246]

NON, j'vas vous dire un affaire moé : quand j'vas voir un spectacle pis que l'artiste su'a scène nous dit entre deux chansons (mielleusement) :

« Ah, je vous aime »,

moé, j'débarque.

J'dis :

« Écoute chose, j'ai payé, tète-moé pas ! Chante pis laisse faire le reste ! »

… Ou bedon les autres artistes qui disent :

« Ah ! Vous êtes beaux ! »

Y DISENT ÇA AU PUBLIC !

J'COMPRENDS : AVEC LES SPOTS, Y VOYENT RIEN !

MOÉ, j'ai été vous voir, j'peux pas dire ça, bon.

Ouverture - U.S. qu'on s'en va ? 1992 [247]

*« Eille tabarnouche ! Le monde (…)
évolué c't'écoeurant ! »*

Y A PUS D'UNION SOVIÉTIQUE, SAVIEZ-VOUS ÇA ?

Y A PUS DE MUR DE BERLIN !

Y a plein de nouveaux pays… ben nous autres, on a pas eu l'nôtre, mais bon, y en a d'autres qui ont compris !

… NON, MAIS ÇA CHANGÉ EN TABARNOUCHE !

MOÉ, j'me rappelle dins années 70, y avait la guerre au Vietnam pis y avait la famine en Éthiopie.

ÇA CHANGÉ EN TABARNOUCHE !

Là, la guerre est en Boschoseervénogovine et pis la famine est en Somalie.

ÇA CHANGÉ D'PLACE EN TOUT CAS !

Ouverture - U.S. qu'on s'en va ? 1992 [248]

EILLE,

40 % D'CHÔMAGE, 51 % DE MONONQUES PARENTALS.

POUR CEUSES QUI L'SAVENT PAS QU'EST-CE QUE C'EST UN MONONQUE PARENTAL, C'EST UNE FEMME MONOPARENTALE AVEC DES ENFANTS QUI, PENDANT QU'LES ENFANTS SONT À L'ÉCOLE, À REÇOIT BEN DES MONONQUES POUR ARRONDIR LES FINS D'MOIS.

Les bénévoles 1992 [249]

ÇA, DES ALLOPHONES,
C'EST DES GENS QUI SAVENT
JUSSE DIRE « ALLÔ ! » EN FRANÇAIS.
APRÈS ÇA, Y A PUS D'FUN À
AVOIR, Y COMPRENNENT PUS.

Les bénévoles 1992 [250]

Ben en faite, y a pus d'personnes âgées là-d'dans, c'est inque des vieux pis des p'tites vieilles. Non, mais les personnes âgées sont pus capables de rentrer, les autres sortent pus.

EILLE, ÇA MEURT PUS !

Y ONT SEPT CENTENAIRES, Y EN ONT 48 EN HAUT DE 95 !

EILLE, ÇA VEUT PAS PARTIR AUJOURD'HUI. ÇA VIT TELLEMENT VIEUX QUE ÇA T'FAIT PUS D'PEINE QUAND ÇA MEURT !

... Y dit :

> *« Regardez la flamme qu'ils ont dans les yeux, ils ont une nouvelle raison de vivre, ça peut prolonger leur vie ! »*

J'ai dit :

> *« On veux-tu vraiment ça, monsieur l'curé ? »*

NON NON, mais faut pas s'mêler des affaires de famille, là. Si les enfants les ont placés là, c'est parce qu'y voulaient pas qu'y leu traînent dans face trop longtemps, quand même, bon !

FAUT ÊTRE HONNÊTE !

Les bénévoles 1992 [251]

La langue française est une langue logique, mais assez compliquée pour garder les jeunes quecques années à l'école, quand mêmex !

... C'EST COMME LA PORTE PIS LE CADRE DE LA PORTE.

LE CADRE, ÇA FINIT PAR « E », MAIS C'EST MASCULIN ! C'EST MASCULIN PARCE QU'Y SOUTIENT LA PORTE.

BON. PIS LA PORTE EST FÉMININE PARCE QU'À SE FAIT SOUTENIR !

EN PLUSSE, TU POUSSES ET TU PÉNÈTRES, C'EST FÉMININ EN TABARNOUCHE, ÇA !

C'EST COMME UN CLOU PIS UNE AIGUILLE.

UN CLOU, c'est long d'même, c'est dur, ça une grosse tête : c'est masculin.

UNE AIGUILLE, c'est tout p'tit, ça picoche pis ça pas d'tête : c'est féminin. Bon !

La langue française 1992 [252]

CONNAISSEZ-VOUS WHITNEY HOUSTON ?

… À l'avait gagné un trophée, à l'avait vendu 40 millions de disques, à l'avait fait 100 millions d'dollars.

Savez-vous qu'est-ce qu'à dit ?

À dit :

> *« Thank you, Jesus. »*

J'ai dit en moé-même :

> *« Qu'est-ce qu'y a à faire là-d'dans lui ? »*

Là, à nous a toute espliqué.

À dit :

> *« Eille, Jésus, y passe toute la journée avec moi. Je l'amène avec moi en studio, c'est lui qui m'aide à bien chanter, c'est lui qui m'aide à faire des bons spectacles. »*

… j'ai vu qu'les acteurs américains, **C'EST DIEU** qui les aide à jouer comme du monde pis à gagner des Oscars; les chanteurs, c'est toujours Dieu qui les aide; les présidents des États-Unis…

Ah, ben tabarnouche !

BUSH LÀ, c'est Dieu qui l'a aidé à gagner sa guerre contre l'Irak !

… Y en ont tué 200 000 pis y en ont enterré 10 000 vivants dans le désert !

Y AVAIENT-TU VRAIMENT BESOIN DU BON DIEU ?

Y auraient pu le laisser faire aut'chose pour quelqu'un d'autre !

EILLE, y a même les politiciens, c'est Dieu qui les aide à fourrer leurs adversaires ! Pis quand y ont gagné, c'est Dieu qui les aide à fourrer les électeurs !

… Ben j'vas vous dire quecque chose, j'ai dit :

> *« Y sont 250 millions, ça pas d'bon sens qu'y accaparent le bon Dieu à tel point qu'y peut pus s'occuper d'personne ! »*

Dieu 1994 [253]

POUVEZ-VOUS M'DIRE SI Y A DES HEURES OU DES JOURS OÙ *STAR TREK* JOUE PAS ?

EILLE, MOÉ CHUS PUS CAPABLE.

TU ZAPPES ET PIS T'AS *STAR TREK* PARTOUT AVEC LE MONDE QUI VIENT DE TOUTES LES GALAXIES, Y ONT TOUTES LA TÊTE DÉFORMÉE, MAIS Y PARLENT TOUTES ANGLAIS !

C'EST-TU COMME UN MESSAGE SUBLIMINAL ?

La télévision 1994 [254]

EILLE, MOÉ CHUS D'MÊME DEVANT LA TÉLÉVISION…

… EILLE, LÀ Y AVAIT UN GARS.

PREMIÈREMENT, Y BRAILLAIT. Y BRAILLAIT PARCE QUE LE THÈME C'ÉTAIT :

> *« Oui, j'ai fait de la prison, mais c'est la faute de la société. »*

J'disais :

> *« Baptême, qu'est-ce qu'on a faite ? Moé, chus tranquille chez nous, moé ! »*

Y BRAILLAIT, Y BRAILLAIT. AH MON DIEU, Y BRAILLAIT !

Pis ça, moi, chus pus capable. Je l'sais qu'y a un psychiatre qui a dit aux hommes qu'y pouvaient brailler, y a à peu près 20 ans. Mais là, j'ai hâte qu'y en aye un autre qui leur dise d'arrêter.

EILLE LÀ, WO !

La télévision 1994 [255]

ÇA, J'TROUVE ÇA ÉCŒURANT !

CES ÉCŒURANTS-LÀ S'ACHÈTENT DES GUNS, Y TUENT DU MONDE, C'EST DE NOT' FAUTE ! ! !

PIS LÀ, Y FAUT QU'ON PAYE DES TAXES PARCE QU'EN PRISON, EN PLUS, Y FAUT PAS QU'ÇA AYE L'AIR D'UNE VENGEANCE, FAUT PAS LES PUNIR. LÀ, Y FAUT QU'Y MANGENT BIEN, FAUT QU'Y AYENT DES LIVRES, DES LOISIRS.

BAPTÊME, T'AS DES FOIS, TU T'DIS :

> « J'vas aller faire un vol, moé ! Ma femme
> sait pas cuisiner pis y a pas un livre dans
> ⹁ maison, t'sais… »

La télévision 1994 [256]

« Ah, les prisons ! y a trop d'monde dans les prisons et c'est terrible. On ne devrait pas avoir de prisons. »

J'ai dit :

« Parfait, mets l'feu d'dans ! Mais sors pas les gars avant ! Ah ! Ah ! »

La télévision 1994 [257]

AUX OLYMPIQUES !

Y avait déjà l'affaire plate-là, le saut à trois pas. Pour moé, aux prochaines Olympiques, ça va être celui qui bronze le plus vite, des affaires de même.

Non, non, pis avec le vieillissement d'la population, dans dix ans, ça va être la pétanque, le shuffle board… **C'EST DES AFFAIRES DE MOUMOUNES !**

ÇA DEVRAIT PAS S'APPELER LES OLYMPIQUES, ÇA DEVRAIT S'APPELER LES OLYMFIFS !

… AVEZ-VOUS VU LES OFFICIELS ?

DES P'TITES MOUMOUNES AVEC DES CHAPEAUX PIS DES DRAPEAUX ?

T'as pas l'droit de rien faire, t'es tout le temps disqualifié.

Y A RIEN QU'Y A DE L'ALLURE DANS CES AFFAIRES-LÀ !

DANS LA COURSE DE 5000 MÈTRES, jusse parce qu'y a un gars qui en a enfargé un autre :

> *« Disqualifié ! »*

AU 100 MÈTRES, y en a un qui part un peu avant les autres :

> *« Disqualifié ! »*

J'ai dit :

>> *« Eille le twit ! Lâche-nous ! Les autres tartes, qu'y partent avant ! »*

... « DISQUALIFIÉ PARCE QUE LE PIED DÉPASSAIT DE TROIS POUCES LA LIGNE BLANCHE ! »

J'ai dit :

>> *« Eille, le twit ! Enlève-z'y trois pouces à l'autre boutte pis écœure-nous pas ! »*

La télévision 1994 [258]

MOÉ, JE DIS QUE LES OLYMPIQUES, ÇA DEVRAIT ÊTRE COMME LE HOCKEY D'LA LIGUE NATIONALE.

Les fifs qui s'demandent :

> *« Chus-tu capable de courir le 100 mètres en 10 secondes ? »*

J'COMPRENDS : Y A PERSONNE QUI LES R'TIENT ! QUATRE ANS QU'Y PRATIQUENT !

Des milliards de personnes les r'gardent, ça coûte des centaines de millions de dollars, **CES TWITS-LÀ PARTENT, DIX SECONDES APRÈS C'EST FINI !**

T'AS MÊME PAS VU QUI EST ARRIVÉ L'PREMIER !

Si c'était faite comme la ligue nationale, en partant y en aurait un qui mangerait un coup d'coude dans face, pis là ça s'tirerait le gilet, ça s'enfargerait, y aurait des batailles, on mettrait des goons de chaque bord :

> *« Mon maudit, si tu arrives le premier, m'as t'planter ! »*

Crime, ça pourrait durer 20-25 minutes, le 100 mètres !

ÇA, ÇA SERAIT DU VRAI SPORT !

La télévision 1994 [259]

EST-CE QU'Y EN A QUI TRAVAILLENT ENCORE ? OUI ? BEN INQUIÉTEZ-VOUS PAS : ÇA ACHÈVE.

… C'est parce qu'y vont faire faire leurs maudites affaires dans l'tiers-monde, y exploitent le monde dans l'tiers-monde.

ET SAIS-TU QU'EST-CE QUI ARRIVE ?

Y font fabriquer dans l'tiers-monde, et là, comme ça coûte pas cinq cennes, y dépensent des milliards su'a publicité pis y deviennent mondials.

… Y dit :

> *« C'est d'même partout : au Vietnam pour Nike, en Haïti pour Walt Disney.*
>
> *Les femmes sont payées trois cennes pour faire 600 coupures sur un vêtement Disney qui est vendu 40 piasses à Disney World.*
>
> *Y ont d'mandé quatre cennes pis y leur ont r'fusées. »*

La mondialisation 1994 [260]

Pour commencer, on peut créer 10 000 emplois dans l'industrie et qu'est-ce qui arrive ? Ça crée 40 000 ou 50 000 emplois dans les services. Et là, ça fait 50 000 personnes qui non seulement reçoivent pus d'assurance-chômage ni de bien-être social, mais y s'mettent à payer des taxes pis des impôts. Là, le gouvernement a un p'tit déficit. Ça excite les gouvernements, y s'mettent à créer d'autres emplois et quand les investisseurs étrangers voient ça, c'est des rapaces, y arrivent pis y en créent d'autres et qu'est-ce qui peut arriver, c'est que dans cinq ou six ans, y aurait pus de chômage. Est-ce que c'est ça qu'on veut ? Non !

PREMIÈREMENT, on enlèverait le fun de ceux qui travaillent dans l'moment et dont le seul fun est de chialer sur ceux qui ont pas d'job et qu'y sont obligés de faire vivre.

ET DEUXIÈMEMENT, ce qui est encore beaucoup plus grave, c'est que si on travaillait tous, on aurait de l'argent. Et ça, l'argent, c'est quelque chose de terrible.

L'ARGENT, la seule manière de pas avoir de problème avec, c'est de pas en avoir.

E PROBLÈME DE L'ARGENT, C'EST 'AUSSITÔT QUE T'EN AS UN PEU, Y MANQUE !

La mondialisation 1994 ²⁶¹

PARCE QUE FABRIQUER DES RUNNINGS ICI POURRAIT COÛTER JUSQU'À 22 DOLLARS LA PAIRE! ET IL FAUDRAIT LES VENDRE 89 DOLLARS !

TANDIS QUE NIKE OU REEBOK PEUT FABRIQUER DANS L'TIERS-MONDE POUR 2 DOLLARS 50 ET, COMME ÇA, NOUS LES VENDRE À 129 !

ATTENDS, ÇA MARCHE PAS MON AFFAIRE…

NON, NON, MAIS ÇA, C'EST À CAUSE D'LA PUBLICITÉ. PARCE QU'Y FAUT QU'Y L'FASSENT SAVOIR QU'Y FABRIQUENT ÇA PAS CHER.

PIS ÇA, ÇA COÛTE CHER !

EILLE, FAUT PAYER DES ATHLÈTES PROFESSIONNELS DES 40 PIS 50 MILLIONS !

PARCE QUE LAISSEZ-MOÉ VOUS DIRE QUE C'EST PAS FACILE ÊTRE ATHLÈTE PROFESSIONNEL.

La mondialisation 1994 262

« N'oublie jamais qu'un p'tit gars des ghettos, noir ou chicano, peut pas s'acheter des affaires à 100 piasses mais peut toujours s'acheter un gun à 15 piasses. Et après qu'y a un gun, le prix des affaires importe peu. »

La mondialisation 1994 [263]

C'QUI COÛTE CHER AU GOUVARNEMENT, C'EST LES CHÔMEURS : TU LES METS À PIED, Y PRENNENT LEURS CHARS PAREIL !

Les régions 1994 [264]

« Avez-vous suivi ça la Guerre du Golfe ?

Y'avait même des bombes plus intelligentes que les pilotes. »

La Guerre du Golfe Persique 1991 [265]

« Les Hébreux sont en 5 400 quelque chose, les Bouddhistes 24 000 quelque... les Musulmans sont en quelle année ? Ça, c'est dur à dire. Si on se fie à la mode... (...) Mettons qu'ils sont en retard. »

La fin du monde – Comment ça 2000?

« Coudonc, qu'est-ce que vous faites à l'université ? »

« J'enseigne. »

« Vous aimeriez pas ça apprendre ? »

La fin du monde – Comment ça 2000? 2002 [267]

LE BON DIEU C'EST UN FLÂNEUX.

Y'a jamais commencé, il finira jamais, y'est éternel, pis dans tout ça, y'a travaillé six jours. Essaie d'avoir ça dans une convention collective.

IL FLÂNAIT.

'avait pas une femme pour y dire

« Quand est-ce que tu vas faire quelque chose ? »

La fin du monde – Comment ça 2000? 2002 [268]

« L'HUMANITÉ ÇA A PAS PARTI D'UN COUP.

L'HUMANITÉ ÇA A PARTI PAR PETITS COUPS. »

La fin du monde – Comment ça 2000? 2002 [269]

Le président Bush l'a dit :

> « *Nous autres tout ce qu'on veut, c'est qu'il n'y ait pus de routes, pus de ponts, pus d'électricité, on a rien contre les bébés.* »

La fin du monde – Comment ça 2000? 2002 [270]

LÉGER, INCONSCIENT, UNILINGUE :

après, on se demande pourquoi les référendums passent pas :

> « *Le Mal est en Iran, le Mal est en Afrique, le Mal est en Corée... le Mal voyage (...) le Mal change de place.* »

La fin du monde – Comment ça 2000? 2002 [271]

*Les baby-boomers dans leur adolescence,
ils voulaient révolutionner le monde. Y'a
deux choses qui les ont empêchés : le pot
et la pilule. Ils se sont gelés et ils se sont
mis à baiser.*

*Pis là y'ont ouvert des communes. Y
révolutionnaient, mais sur eux-mêmes :
c'est à mon tour en dessous, c'est à mon
tour au-dessus.*

Les baby-boomers – Comment ça 2000? 2002 [272]

EN MAI 68, ils ont fait leur petite révolution, parce qu'à l'université, y'ont voulu leur donner des livres pis ça, ça les a fâchés.

*« On apprend pus par cœur, pus
d'enseignement formel, abaissons les notes
de passage, démocratisons l'éducation. »*

Y'ont baissé les notes de passage, y'ont démocratisé l'éducation : ben après on se demande pourquoi le docteur trouve pas ce qu'on a!

Les baby-boomers – Comment ça 2000?

POURQUOI TU PENSES QU'IL VOYAGE LE PAPE, POUR SON FUN ?

IL VOYAGE POUR DEMANDER PARDON ET S'EXCUSER POUR LES TORTS QUE L'ÉGLISE CATHOLIQUE A CAUSÉS DANS LE PASSÉ.

BON... IL A PAS FINI DE VOYAGER...

SURTOUT LÀ AVEC LES PRÊTRES QUI FONT DES AFFAIRES AVEC LES PETITS GARS... POUR MOI À ROME, ILS VONT ÊTRE OBLIGÉS DE METTRE UNE AFFICHE « OUT FOR A WHILE ».

Les baby-boomers – Comment ça 2000? 2002 [274]

> « Vous n'avez pas le droit de m'envoyer chier, je suis un ethnique. »

Je conte ça à ma femme...

> « T'as pas le droit certain, es-tu malade dans la tête, tu peux perdre tes élections, tu peux perdre tes référendums, tu peux tout perdre avec ça. »

> « Minou, je parle pas de les haïr tout' d'un coup : juste un à la fois. »

L'AUTRE JOUR, je marche sur la rue, y'a un gars qui me marche sur les talons, c'est-tu fatiguant ça !

Je me retourne :

> « Hey l'épais ! »

C'est un Haïtien.

Il dit :

> « Vous êtes raciste ? »

J'ai dit :

> « Ben non, pas moi raciste, toi, épais ! »

CHANGE PAS LE MAL DE PLACE, c'est p... ta gang que j'haïs, c'est juste toi.

Les ethnies – Comment ça 2000?

« *Si tu peux pas te choquer contre quelqu'un parce qu'il est noir, ou ben y'est jaune, ou y'est rouge ou bedon y'est carreauté, si y'en a trop autour, qu'est-ce que tu fais ?*

De la bile.

Parce que quand on garde le méchant en dedans, on fait de la bile. »

Les ethnies – Comment ça 2000? 2002 [276]

« LES ASIATIQUES, C'EST MES ETHNIQUES PRÉFÉRÉS, SONT TOUT PETITS, ILS MARCHENT VITE PIS ILS PARLENT PAS. »

Les ethnies – Comment ça 2000? 2002 [277]

« *Le 1ᵉʳ juillet, il nous arrive une famille d'Arabes. Pas des Arabes normaux, les enveloppés. On les regardait déménager, on en revenait pas : des voiles qui portaient des boîtes.*

... Va pas là minou, c'est trop dangereux on sait pas qu'est-ce qui se cache en dessours de ça.

Ben voyons donc, c'est pas parce qu'ils s'habillent pas comme nous autres qu'ils sont pas gentils. »

J'ai dit :

« *S'ils seraient gentils, pourquoi ils se cacheraient ?* »

Les ethnies – Comment ça 2000? 2002 [278]

DEPUIS 20-25 ANS, chaque fois qu'on voudrait réagir, casser des affaires, descendre dans la rue, ils nous disent :

> *« Non, non, faites pas ça, ça pourrait déranger l'économie. L'économie c'est important, attention à l'économie ».*

Il en avait un à Ottawa, Paul Martin, y pensait rien qu'à ça l'économie.

Y'a fallu que je l'appelle un matin :

> *« Hey, arrête de penser à ça, j'en ai pus d'économies. »*

CHANGE-TOI LES IDÉES, BAPTÊME !

Mirabel – Judi et Yvon font une scène 2006 [279]

« *Les Chinois veulent vivre comme nous autres, c'est inacceptable !*

... Est-ce qu'on va laisser les Chinois enlever aux plus démunis de la Terre le peu qu'on leur laisse ? »

Les Chinois – Spectacle Au septième ciel 2008 [280]

LES OLYMPIQUES C'EST DE L'AMATEUR, C'EST PAS DES VRAIS SPORTS, C'EST DES SPORTS DE MOUMOUNES !

Avez-vous déjà vu un Chinois jouer au hockey ?

Les Chinois – Spectacle Au septième ciel 2008 [281]

TREMPLIN DE 10 MÈTRES,
LE CHINOIS SAUTE : 14 PÉRILLEUX ARRIÈRE, 16 VRILLES,
SCHLAK !

PAS D'ÉCLABOUSSURES.

Je dis à ma femme :

> « Tu vois ben qu'ils trichent. »

Elle dit :

> « Comment tu veux qu'ils trichent ? »

> « Pour moi, ils les aiguisent avant de les lâcher. »

Les Chinois – Spectacle Au septième ciel 2008 [282]

« L'Unicef a dit hier que l'embargo américain avait déjà causé la mort de 600 000 enfants en Irak.

Bon, c'est des enfants, c'est pas pareil, tout petits...

C'est pas du terrorisme, ils meurent tranquillement, comme du monde normal...

juste un peu plus vite que les autres. »

La fin du monde – Comment ça 2000? 2002 [283]

TOUT L'TEMPS, DANS VIE, Y EN A DU MONDE QUI SONT PAS CAPABLES QU'ON SOYE HEUREUX. Y SONT PAS CAPABLES QU'ON AYE ENVIE DE QUECQUE CHOSE. Y SONT PAS CAPABLES QU'ON SOYE BIEN PARCE QUE LÀ SONT MAL !

ALORS LA SEULE FAÇON D'ÊTRE BIEN, C'EST D' NOUS ÉCŒURER !

Maudit fatiquant

« J'ai l'impression
qu'on s'est tout dit.
En ayant l'air de ne rien dire.
J'ai l'impression qu'on
s'est compris.
À travers la chaleur
des rires. »

J'ai l'impression 1972 285

Les unions qu'ossa cu...

mais c'est vrai, les unions qu'ossa
dennent rien ! Ku as-tu un union à s
fait 15 ans que j'travaille à shop, pis ça,
union, du'ossa dennent !
a pas d'union pis ça empêche pas qu...
a la s'maine de 5½ heures...
n'jour de l'an, pis l'été'on a une sem...
n'la prend pas toujours mais on l'a fa...
is moi ça parait pas mais j'me sais
is déjà avec d'l'overtime j't'elle me clu...
            "Pas clair"

Quand j'ai lâché l'école à 13 ans,
d'mort - S'dit mon p'tit garçon,
j'm'en doutais un peu, la vitesse qui va...
j'veux t'dire que dans vie, y a 2 cho...
un toe boss, les mandѐẗos affaire...
steady pis un toe boss, pis là y...
pit, pis j't'aurai à shop, j'ai...
tte là, s'tu cune job steady...
         Ben j'ai dis mis d...

^IINDEX *

A

B

D